50 *Formas de Amar*
UMA É MATAR...

LUCIANO BIVAR

ALTHAEA BOOKS

Rua Jorge Americano, 61 - Alto da Lapa
05083-130 - São Paulo - SP - Telefone: (11) 3645-0409

Dados de Catalogação na Publicação

BIVAR, Luciano
50 Formas de Amar, uma é Matar / Luciano Bivar.
São Paulo – 2019 – M.Books do Brasil Editora Ltda.

1. Romance 2. Literatura brasileira

ISBN: 978-85-7680-233-2

© 2019 by Luciano Bivar

Editoração: Crontec
Capa: Crontec – com base na capa da edição americana, de Ric Datzman
Foto da capa: Stock Photo 123RF.com

2019
ALTHAEA BOOKS
Direitos exclusivos cedidos à
M.Books do Brasil Editora Ltda.
Proibida a reprodução total ou parcial.
Os infratores serão punidos na forma da lei.

"Aos homens eu provaria o quanto equivocados estão ao pensar que deixam de se apaixonar quando envelhecem, sem saber que envelhecem quando deixam de se apaixonar."

GABRIEL GARCÍA MÁRQUEZ

CAPÍTULO 1

Era uma manhã fria de janeiro. O inverno, como sempre rigoroso nessa altura do ano, cobria a cidade de branco. O hospital ficava às margens do rio Hudson. Pela janela do 8º andar, viam-se os carros cruzando a Queensboro Bridge. O médico vaticinava o meu destino.

Permaneci inerte, enquanto o dr. Steve dizia:

– Caro Rick, os seus exames revelaram a presença de um aneurisma. Normalmente a recomendação é corrigir com cirurgia, mas o seu está em uma região inacessível do cérebro, então não será possível operar. A boa notícia é que você pode ter um funcionamento normal de todo o seu organismo, porque o aneurisma é assintomático. No entanto, ele pode se romper a qualquer momento, o que trará danos irreversíveis.

Eu tentava ao mesmo tempo compreender e digerir a notícia. Então havia um inimigo silencioso, à espreita, para me atacar num momento imprevisível?

– A verdade, Rick, é que não temos como antecipar a maneira como ele irá se comportar. Pela minha experiência e pelas estatísticas, acredito que você possa ter ainda cinco anos de vida normal e em plena efervescência de sua jovem senilidade.

Saí do hospital e caminhei pela 62nd Street, com a intenção de entrar na primeira estação do metrô. Só depois de oito quarteirões me dei conta de que já havia passado por duas estações, sem notá-las.

Era como se eu não habitasse meu próprio corpo. As pessoas que passavam por mim, as lojas e os pequenos restaurantes que já abriam para o *happy hour* pareciam não existir. Minha sensação era de que os valores do mundo plástico, as coisas, haviam perdido totalmente o sentido.

Não era um homem religioso, mas de uma profunda fé. Acreditava no bem e na virtude, mas não tinha como abraçar um Deus como forma de muleta para aceitar tão devastadora notícia. Acreditava, sim, no livre-arbítrio – que os desígnios da minha existência terrena estariam pautados pelo bem que pudesse ter praticado e pelo mal que causei.

Essa, a minha religião: o céu e o inferno estariam incrustados dentro do meu ser; manifestar Deus ou o diabo era uma opção minha, somente minha. Se quisesse amar, que praticasse o bem; se quisesse sofrer, que incendiasse o mundo. O amor traria a felicidade, e o mal, o fogo impiedoso da eternidade.

Ou eu estava totalmente equivocado a respeito de como agi ao longo da vida ou aquele golpe na forma de um aneurisma contrariava toda a minha filosofia de vida. Fui sempre admirado pelos cuidados com o meu corpo, nunca fui fumante, bebia moderadamente e, acima de tudo, sempre me guiei pelo que acreditava ser o bem.

Após caminhar mais algumas quadras, atravessei um pequeno bosque, num caminho estreito e sinuoso, mas bem definido. Qualquer coisa que pudesse ter crescido ali há muito fora pisoteada, e agora estava coberta de neve. A camada macia amortecia meus passos.

Havia um estranho silêncio no bosque, como se preparado para que eu ouvisse os meus pensamentos. Ao olhar para o céu em busca da luz, encontrei apenas a camada de nuvens, cada vez mais densa à medida que elas se embrenhavam nas copas das árvores, com seus galhos cobertos de folhas secas que resistiam ao inverno. Prendi minha angústia indescritível.

Totalmente recolhida por causa do inverno, a vida que havia ao redor estava silenciosa. Não se ouviam esquilos nem pássaros. Congelada, a água não corria. Afastei a neve que se acumulava em um banco e ali permaneci por alguns minutos, imaginando que, dentro de alguns meses, a natureza repovoaria todo aquele lugar, cumprindo seu ciclo triunfal. Depois, segui caminhando, até cruzar aquele parque. Resolvi parar em um pequeno café e deixar que caísse a ficha, abrindo a mente para tudo o que pudesse invadir os labirintos da minha cabeça, e assim entender para que lado poderia direcionar minha vida.

Eu poderia dizer que era um homem sem preocupações. Já tinha alcançado os 60, estava divorciado fazia alguns anos – eu havia sido casado por 30 anos com uma linda mulher, mas o desgaste do cotidiano nos levou à separação. Ela amava as artes e a música, e talvez tenha sido esse o caminho que trilhou, sem que precisasse dar satisfação a ninguém de suas paixões – um ato um pouco egoísta, acredito, porque ela nunca tentou compartilhar comigo seus interesses e as agitações de sua vida interior. Mas, se você ama uma pessoa, como diz o provérbio, deixe-a livre. Decidi deixá-la livre, e ela não voltou. Talvez nunca tenha sido minha.

Nossos filhos moravam fora de Nova York. Michael era médico de um movimento internacional de ajuda humanitária e Alice trabalhava como jornalista em Washington, na CNN.

A bem da verdade, minha vida era pacata e tranquila, sem o fogo ardente do amor – coisa que a passagem dos anos e a debilidade física haviam carcomido desde as minhas entranhas. Tirando alguns encontros ocasionais, minha vitalidade ficava toda reservada para o trabalho. As negociações, o atendimento aos exigentes clientes, a atenção constante às mínimas movimentações da Bolsa.

Com a notícia do dr. Steve, tudo isso estaria prestes a mudar?

II

O telefone tocou. Era Sharon, minha ex-mulher. Antes que um de nós pudesse dizer qualquer palavra, percebi sua preocupação. Alice, nossa filha, já havia contado a ela sobre o diagnóstico.

— Você devia ter me chamado. Eu teria ido ao hospital com você.

— Ainda bem que não foi. Eu precisei ficar muito sozinho depois de receber a notícia. Fico feliz pela sua preocupação, mas naquele momento não me ajudaria em nada: sua compaixão talvez só aprofundasse meu sentimento de infelicidade.

Sharon havia marcado para mim um horário com uma psicóloga que tinha sido companheira de *high school* de Alice, e eu não quis descartar, para não parecer que eu estava desconsiderando o carinho e o cuidado de alguém que fora tão maravilhoso em minha vida.

Desliguei o telefone com uma das mãos e lentamente, com a outra mão, repus o fone no gancho. Senti que meus olhos estavam embargados de emoção, mas eu nada mais poderia falar para Sharon — eu nem saberia o que dizer, pois não foi com palavras que enfrentei e superei as adversidades ao longo da vida.

Mesmo sem ter qualquer vontade de conversar e sem acreditar que isso seria importante no momento, no dia seguinte caminhei até a Terceira Avenida, e no número 437 fui ao décimo andar, onde encontraria o consultório da dra. Suzie Flexner.

Era uma mulher de 35 anos, ainda com uma aparência bem juvenil. Seu rosto retilíneo e o longo nariz afilado davam um toque de nobreza, que, aliado ao seu estilo elegante e angelical, compunha um exotismo especial.

Confesso que fiquei um pouco fascinado. Numa situação tão desesperante como aquela, todos nós nos sentimos muito sozinhos no mundo. Talvez por isso eu estivesse carente de amar ou ser amado, mas ela me parecia uma mulher adorável, com longos cabelos ordenadamente presos por uma marrafa negra e uns anéis de prata que circundavam seus longos dedos bem cuidados.

Desde o primeiro momento, senti caírem as minhas barreiras. Logo eu, que sempre tinha visto com certo preconceito a ideia de conversar com alguém sobre as minhas dores espirituais.

– Então, Richard, o que o traz ao meu consultório? Além de sua ex-mulher, naturalmente, que me pediu para lhe reservar este horário...

– Na verdade, eu não havia planejado vir. Mas Sharon soube de uma dificuldade pela qual estou passando e quis agendar este horário para mim. Desculpe, Suzie, chegamos a nos conhecer quando você estudou com a minha filha? Não estou lembrado...

– Sim, algumas vezes nos encontramos. Mas muito rapidamente, e eu era apenas uma menina.

– Você é admiravelmente jovem. Aliás, se incomoda que eu lhe chame de Suzie?

– De modo algum. Gostaria que me tratasse dessa maneira, até por termos uma ligação mais antiga. Aliás, Richard...

– Rick, você pode me tratar por Rick.

– Está bem, Rick. Eu não pude deixar de atender ao pedido de Sharon, que me explicou a sua condição. No entanto, o fato de nos conhecermos há algum tempo pode ser visto como um obstáculo para o trabalho que realizamos aqui.

— Mas o fato de você me conhecer não deveria nos ajudar?

— Nem sempre. Na minha área, consideramos muitas vezes que para ver melhor o paciente é preciso um olhar mais distante e, digamos assim, imparcial. Eu sugiro que a gente converse um pouco hoje, para que cada um entenda o que espera deste nosso encontro. A partir daí, decidiremos sobre como seguir: se eu mesma me responsabilizo pelo seu tratamento ou se será mais adequado encaminhá-lo para um colega.

Uma leve pontada feriu meu orgulho, como se Suzie, com suas palavras, estivesse me rejeitando de alguma maneira. Mas consenti e lhe contei sobre meu encontro com o dr. Steve na manhã anterior.

Suzie postou-se diante de mim em um enorme sofá, apenas desabotoou o casaco e perguntou se eu acreditava em Deus.

Lembrei-me de Spinoza e disse que meu Deus estaria em todo lugar, nas montanhas, nos bosques, nos rios, nos lagos e nas praias.

— Sabe, Rick – disse ela –, eu também penso assim. E lembrou as palavras de meu poema favorito, em que o filósofo holandês imagina Deus dizendo ao homem: "Eu quero que gozes, cantes, te divirtas e que desfrute tudo que Eu fiz para ti". Fiquei emocionado ao vê-la repetir as palavras que eu conhecia tão bem. Tive o desejo de tocá-la, abraçá-la, mas racionalizei:

– Que bom, Suzie, tenho pensado muito nisso. Não adianta culpar Deus por algo terrível que me aconteceu e ficar lendo escrituras supostamente sagradas ou frequentar templos construídos pelos homens e que nada têm a ver com Ele. O meu Deus me encheu de paixões, limitações, prazeres, sentimentos, necessidades, incoerência e, principalmente, livre-arbítrio.

Suzie percebeu que eu estava retomando as palavras do poema e prosseguiu na mesma linha. Sem citar o nome de Spinoza, lembrou que esta vida não é uma prova, nem um degrau, nem um passo a caminho, nem um ensaio, muito menos o prelúdio para o paraíso. Esta vida é a única que há aqui e agora.

Eu já havia lido aquele poema dezenas de vezes, mas algo parecia novo, graças à voz de Suzie. Quando continuei o nosso jogo, eu já não estava recitando Spinoza. Suas palavras haviam se tornado minhas, e por meio dele eu finalmente estava falando sobre mim:

– Eu tenho que procurar o conforto dentro de mim mesmo, sem medo nem ilusões. Fora não encontrarei explicações, não acharei, e essa maneira é a única de me louvar. – Embora coberta pelas palavras do filósofo, esta foi a primeira de muitas confissões que eu faria a Suzie.

– Pois é, Rick – continuou ela –, ninguém leva um placar. Ninguém leva um registro. Somos absolutamente livres para fazer de nossa vida um céu ou um inferno. Não podemos afirmar que há algo depois da vida, mas temos que aproveitar esse resto de vida que temos para amar e existir.

Nosso encontro aos poucos assumia ares de alerta ou guia. Diante de Suzie, eu apenas imaginava que, tivesse eu ainda um ano, dois ou cem, o importante era que esse tempo fosse bem vivido.

Mais tarde, quando nos despedimos, notei que já havia passado mais de uma hora, sem que eu pudesse perceber a duração de nossa conversa. Ela havia sido capaz de me fazer esquecer, mesmo que temporariamente, o diagnóstico do dr. Steve, me liberando um pouco do sofrimento que me oprimia desde o dia anterior. Marcamos uma nova sessão, e eu estava ansioso para continuar nossas conversas.

III

Era uma sexta-feira. Eu seguia em direção ao consultório de Suzie, passando por ruas e avenidas que já se preparavam para o fim de semana. Em janeiro, o fluxo de turistas na cidade já não era tão grande: as legiões que vinham para as festividades de fim de ano naquela altura já haviam ido embora. Ainda assim, minha impressão era de cruzar apenas com ingleses, chineses, brasileiros – estrangeiros de toda parte. Os nova-iorquinos aproveitavam para sair da cidade.

Eu seria o último paciente que Suzie atenderia no dia. Depois do penúltimo cliente, a secretária me anunciava para entrar.

Entrei em sua sala silencioso e precipitadamente. Percebi seu lenço enxugando uma lágrima que furtivamente descia em seu rosto, por alguma razão que eu não seria capaz de imaginar: como uma mulher tão bela e majestosamente independente poderia estar em um pranto retraído, disfarçando para que seus pacientes não a notassem naquele estado de sofreguidão?

– Desculpe, não estava passando bem – disse Suzie ao me ver.

Confesso que olhei com certa consternação. Ela simplesmente apontou para uma poltrona fazendo um gesto para que eu me sentasse.

Eu disse que também não estava legal naquele dia, como se entendesse que nossas conversas seriam soltas ao vento e desconectadas do objetivo de minha consulta.

Ela era uma mulher inteligente e acredito que logo percebeu a minha solidariedade à sua dor e, certamente, à sua introspectiva reflexão.

Preferi poupá-la daquela sessão e lhe fiz um convite despretensioso para comermos alguma coisa ali perto. Com certa surpresa, Suzie aceitou.

Pegou a bolsa Chanel preta, sua pasta elegante de trabalho e vestiu um pequeno casaco de lã bege. Sem trocarmos muitas palavras e respeitando sua meditação involuntária, caminhamos até a Rua 45.

No Tony's Pizza, entre um drinque e outro e diante de uma deliciosa macarronada com camarões gigantes, pouco a pouco fui penetrando em sua vida particular.

Depois de oito longos anos de um casamento frustrado, Suzie havia alugado, com alguns amigos e amigas, uma casa em Hampton Beach. Como era caro, dividiam o grupo em duas partes – uns iam nas quinzenas de fim de mês, e outros, no início do mês, ela me explicava. Suzie estava envolvida com um dos rapazes desse grupo. Durante o jantar, contou-me o motivo de sua tristeza:

– Beth, uma das amigas do meu grupo, me disse que Harry frequentava também o outro grupo, transando constantemente com uma das garotas do final do mês. Nunca depositei muito carinho em Harry, mas já tínhamos um relacionamento de alguns meses. Isso me deixou magoada não só pela sua infidelidade sexual, mas porque ele desfilava por aí com aquela nova garota que até então eu mal conhecia, partilhando um *loft* no Village, onde constantemente eram vistos nos bares e cafés daquele bairro boêmio.

Aquilo lhe doía muito. O fato de ele transar com alguém de forma eventual talvez não fosse motivo para uma ruptura. Os homens são assim mesmo quando o assunto é sexo, se deixam levar pelas emoções mais primitivas, simplesmente não conseguem racionalizar. Agem como répteis, de forma animal, enquanto as mulheres adicionam os malditos ingredientes da paixão.

Mas o caso de Harry, num raciocínio intuitivo, parecia-lhe não ser somente sexo. Nos gestos e contextos com aquela garota, Suzie via algo mais, que ela não alcançava, e naquele dia havia decidido fazer uma ruptura total, em vez de tornar-se indiferente.

– Eu sabia que ele era um mulherengo, mas não o bastante para ter um caso sério, escondido de mim, sem ao menos ter me sinalizado. Todos sabiam, menos eu. Senti-me traída – disse Suzie, já com certa dose de resignação diante daquele relacionamento.

Fora de seu ambiente de trabalho, onde ela ditava os caminhos da conversa e era dona das verdades terapêuticas da alma, eu, naquele restaurante-bar, acotovelado por dezenas de pessoas, senti-me mais independente e seguro para dar as minhas próprias opiniões.

Cuidando para não dar um ar de sabedoria, fiz Suzie entender que tudo passa. O tempo é sempre o senhor da razão. Administrar esse lapso de tempo entre a decepção e a indiferença é a chave para sair com sucesso de uma aventura amorosa frustrada, daquela melancolia que parece não ter fim, da angústia que corta o peito como se furasse nossa própria carne.

O mundo está cheio de encontros e desencontros. De pseudocertezas e devaneios. Mas é preciso nunca se deixar transferir do amor ao ódio. Isso faz mal à alma, torna-se orgânico e prejudica concretamente nosso coração.

Estivemos a noite toda conversando. Olho no olho, como se fôssemos velhos amigos de noitadas. Percebia pouco a pouco um despertar de Suzie para as minhas histórias do passado. Seu interesse instigava-me a falar cada vez mais, quase a tagarelar de tanta felicidade por aquela companhia. No brilho de seus olhos, eu percebia o desejo de alimentar aquele papo gostoso e descontraído.

Por um momento, senti, ela havia se esquecido de Harry e do fim de semana que com ele passaria em Hampton Beach.

Pedimos mais uma taça de vinho, e mais uma. Observei-a puxar o colar de pérolas que se escondia sob a roupa. Em seguida lutou para desprender do vestido preto decotado. A lã macia ficou presa nos grampos dos cabelos e, com um gesto repentino, conseguiu desvencilhá-lo.

Percebi que estava realmente à vontade, embora o gesto pudesse dever-se ao calor do vinho ou à quantidade de pessoas amontoadas em um mesmo ambiente. O fato é que ela estava distante daquela psicóloga tão cartesiana, que como mulher parecera inalcançável.

Entre um gesto e outro, toquei em suas mãos e comentei sobre o lindo anel em seu dedo.

– Comprei numa viagem que fiz às Bahamas. Tem joias e bijuterias lindas em Nassau, onde as ruas são repletas das mais variadas joalharias.

– Sim, conheço essas ruas. Há coisas realmente maravilhosas para quem gosta de joias.

– Tem também máscaras interessantíssimas, mas não tão lindas como as venezianas – disse Suzie.

– Ah, você também é amante de Veneza?

– Gostaria de dizer que sim, mas a verdade é que nunca tive a oportunidade de estar lá. Nas viagens que fiz à Itália alguma coisa sempre aconteceu para me impedir de ir. Mas, em certo sentido, sou amante sim: do que a cidade representa, da arte que ela produziu...

– Sim, é um lugar surpreendente, que nem a grande quantidade de turistas consegue tornar desinteressante. Visitei algumas vezes. Quem sabe um dia possamos juntos fazer uma viagem a Veneza...

Apertando os olhos, ela sorriu, como quem se deixa transportar pela fantasia a um mundo há muito desejado.

CAPÍTULO 2

SUZIE

Quando acordei quarta-feira, minha cabeça pesava como há muito não fazia. Eu não costumava exagerar na bebida, talvez por isso estivesse sentindo com tanta força as consequências da noite anterior. A verdade é que eu me sentia como uma adolescente, cruzando todos os limites por causa de um homem. Um homem, aliás, que nem importava tanto assim para mim.

Bem, agora eu tinha dois problemas para resolver. Primeiro, tirar Harry da minha vida – da minha cabeça eu sabia que ele já estava saindo. Depois, recuperar a confiança de Rick, que deveria ser, acima de tudo, meu paciente.

Como uma terapeuta se deixa pegar em um momento de tanta fragilidade, abrindo-se com alguém que estava buscando tratamento? Meu Deus, o que era a infidelidade de Harry diante de um prazo de vida de cinco anos?

Se conhecesse a história da minha vida, Rick saberia que não passou de um deslize – e seria certamente capaz de me perdoar. Claro que eu não ia corrigir um erro com outro, isto é, não me passava pela cabeça contar mais a meu respeito para anular o fato de que eu havia lhe contado mais do que deveria. Mas uma parte de mim desejava que Rick soubesse de todo o meu esforço para viver conforme eu mesma queria fazer e acreditava ser certo. Encontrar o próprio caminho é uma tarefa cheia de desafios, e um pequeno acidente não deve comprometer toda a nossa busca. Fazia tempo que eu estava empenhada nisso.

Teoricamente, eu deveria ter passado os meus 20 anos acordando sempre ao meio-dia em meu *loft* no Brooklin, tomando meu café em uma máquina dessas bem práticas com um *brownie* e acompanhando resignada as aulas da faculdade. O verdadeiro entusiasmo surgiria durante as noites, quando, acompanhada das amigas, eu iria aos bares e baladas do momento, onde encontraria pessoas antenadas e me envolveria com uma farta sucessão de parceiros (e parceiras, se fosse o caso). Muitas vezes, sob o efeito de qualquer droga da moda, tão comum entre os frequentadores das noites de Manhattan, eu transaria loucamente. Minha tese seria dedicada a algum tema obscuro, e eu acentuaria minhas agonias intelectuais com estimulantes de toda sorte, transando com professores e alunos dos mais variados matizes ideológicos.

Mas não foi esse o caminho que segui. Em vez disso, me casei. Cedo. Não planejei, simplesmente aconteceu.

Benne e eu éramos namoradinhos da escola. Eu reparei nele mais por conta de seu recato: diante dos ares exibicionistas de tantos colegas, ele me chamou a atenção. A maioria das minhas amigas gostava de homens musculosos, chamativos, bonitos. Não se importavam de estar com alguém que jamais se interessasse pelas coisas do mundo, que sequer conhecesse os dilemas de Holden Caufield ou lesse Flaubert através de Madame Bovary.

Já Benne era magro, tranquilo, tímido. Gostava de ler e tinha um refinado senso de humor, que às vezes se tornava sarcástico. Quando a ocasião exigia, como numa metamorfose, tornava-se impositivo e um pouco áspero em suas palavras. Nesses momentos, ele não era capaz de dizer que eu era a mulher mais magnífica e talentosa do mundo e que morreria sem mim. Como típicos adolescentes enamorados, vivíamos alguns equívocos de insegurança e ciúmes, o que sempre acabava em beijos angustiantes e promessas shakespearianas.

Por uma feliz coincidência fomos trabalhar no mesmo hospital... Benne na área de fisioterapia, e eu na de recursos humanos. Mais tarde, ele foi trabalhar com um grupo de fisioterapeutas, correndo seu próprio risco. No início, os investimentos na sua clínica de recuperação motora fizeram com que nosso orçamento doméstico sofresse alguns abalos.

Benne voltava tarde da noite, sempre muito estressado com os compromissos daquele seu novo negócio. Trabalhava ininterruptamente até o último paciente do dia.

Os problemas financeiros não são fáceis de administrar e, às vezes, interferem na nossa vida emocional e chamuscam os relacionamentos.

Antes de dormir, discutíamos por trivialidades. Ele se queixava de uma grande quantidade de queijos recorrentemente apodrecidos na geladeira, e eu replicava que ele pouco aparecia em casa e vivia em sua clínica, e que havia tempos não recebíamos nossos amigos para conversar e tomar vinho. Outras vezes, discutíamos a vida de terceiros, em cujos conflitos tomamos parte e projetamos nossas desavenças.

Por causa desse clima, o ambiente em casa tornou-se de um silêncio beligerante. Foi quando resolvemos adquirir um cão de estimação para termos com quem conversar. Mas tudo não passava de devaneios de um iminente naufrágio sentimental.

Entre ironias e pretextos, travávamos uma guerra subterrânea e simbólica, como tudo o que fazemos com o intuito de provocar o outro. Operávamos sob disfarces, encenávamos o tempo todo, vivíamos um martírio de imagem. Para brigar, não precisávamos de motivos, mas de desculpas.

Sob gestos esvaziados, seguimos nos provocando, e o ressentimento, grande mal dessa prática, ia silenciosamente se enervando, fazendo surgir um abismo entre mim e Benne.

Nos limites da sociabilidade, tentávamos nos exorcizar desses males fazendo sexo. O ato era quase tedioso, contido, puro alívio individual, sumário até. Nos tocávamos sem nos tocar. Dava a ele um defunto meu. Sentia-me uma impostora, mas nada fazia para esconder aquele sentimento. Deus, como queria que ali houvesse um mínimo de verdade...

O embate dos nossos corpos ressoava a distância de nossas almas. E as poucas palavras que em seguida trocávamos vinham de uma perversa cordialidade, de imagens prontas e sentimentos recondicionados que nunca nos levaram a lugar nenhum. Nada parecia criar-se ali. Tudo apenas se repetia. Deus, como eu odiava aquilo.

Vivemos juntos por quase oito anos, mas nos últimos quatro pouco a pouco desvaneceram as nossas ilusões do passado. A paixão dos tempos de faculdade e os encontros fortuitos em que planejávamos uma família repleta de crianças, percorrendo barulhentamente a casa e esquentando nossos corações, tudo aquilo se tornava uma utopia.

A mãe de Benne nos cobrava um neto, e jamais consegui engravidar. Ele parecia querer que me domesticasse como sua mãe, mas eu não tinha o menor interesse em ser assim. O lado doméstico nunca foi meu ponto forte. Dos sentimentos "edipianos" que tivesse, ele que se curasse por conta própria.

Depois desses longos anos, o que sobrou de verdade e coragem foi uma separação sem rupturas agressivas e ameaças de consequências futuras. Foi uma oportunidade com que nos presenteamos, de sermos felizes novamente – o lado sereno e lúcido de duas pessoas civilizadas na selva do mundo moderno.

Fui morar em Manhattan, e Benne, em Nova Jersey. Ele vive com uma garota do Alabama que trabalha na mesma área que ele. Anualmente recebo seus cartões de Natal, que não me transmitem nenhum desejo de revê-lo.

Simplesmente existiram, e foram bons enquanto duraram, os anos que vivemos juntos.

Eu, desde então, não tive interesse em me envolver de modo mais sério com nenhum outro homem. Eu sentia que minha personalidade tinha sido moldada muito em torno de Benne, até por termos crescido juntos, então quis descobrir sozinha quem sou eu de fato. E o resultado dessa decisão é que não é fácil aturar qualquer homem: os musculosos da escola se tornaram hoje homens excessivamente seguros de si, que parecem respeitar uma mulher, mas se traem desde os detalhes. Foram muitos os que já no segundo encontro deixaram claro querer me fazer de troféu. Por isso, após a separação, não fui capaz de estabelecer um compromisso sério com ninguém: os namoros agora satisfazem razoavelmente o meu desejo de companhia sem deixar muitas expectativas.

Mesmo tendo me saído melhor do que as amigas da escola em matéria de relacionamentos, considero que nunca é tarde para uma mulher mudar os péssimos hábitos que mantém em relação aos homens. Além de me livrar de Harry, eu ia corrigir o erro que havia cometido com Rick.

RICK

Uma semana depois daquela nossa conversa no Tony's Pizza, eu estava um pouco preocupado de ter exagerado no vinho, me excedendo e invadindo a privacidade de Suzie para muito além do que deveria. Enquanto seguia para seu consultório, pensava sobre a melhor maneira de me comportar em relação ao ocorrido. Eu deveria perguntar se ela estava melhor ou evitar fazer qualquer menção à nossa conversa?

Era a terceira vez que entrava em sua sala. Dessa vez, trazia também a expectativa do reencontro. Suzie se levantou para me cumprimentar e logo retornou ao sofá cinza, indicando a poltrona onde eu havia me sentado da última vez.

— Normalmente este seria o momento em que eu convidaria o paciente a se deitar no divã, caso se sentisse à vontade. Mas gostaria de saber de você, Rick, o que achou de nossa última sessão.

Fui pego de surpresa pela atitude de Suzie. Sem fazer qualquer referência ao nosso jantar na pizzaria, abordava de forma tão direta a primeira consulta. Ela havia transposto algumas barreiras com tanta facilidade e agora me pedia, com a sua pergunta, para pensar e falar sobre os meus sentimentos. Fui capaz apenas de confessar:

— Eu me senti sintonizado na nossa conversa de um modo que há muitos anos não acontecia. Por instantes, o diagnóstico pareceu algo distante, que não limita a minha vida.

Ela baixou os olhos, reacomodou-se no sofá e, retomando a postura, me disse:

— Sim, Rick, também senti que tivemos grande sintonia. Acredito que parte disso venha do fato de nos conhecermos previamente, de termos essa ligação por meio de Alice.

— Curioso você me dizer isso. Tenho poucas lembranças suas, inclusive achei que vocês nunca tivessem sido muito próximas.

— Considero essa ligação importante, sim. Aliás, gostaria de conversar com você sobre isso.

Suzie passou alguns minutos falando sobre os princípios que devem guiar as relações entre terapeuta e paciente. Mencionou o código de ética de sua profissão, explicou que, para o bem do paciente, a relação com o psicólogo não pode ter interferência de outras relações, passadas ou presentes... Sinceramente achei que ela estava levando tudo aquilo muito ao pé da letra, ainda mais depois de termos sido tão honestos um com o outro na pizzaria. Por isso, quando ela concluiu, o resultado era bem diferente do que eu idealizava para a nossa sessão:

— Por essas razões, Rick, gostaria de encaminhá-lo para uma pessoa de minha confiança, que saberá acompanhá-lo com muita competência.

Eu não tinha muito interesse em consultar outro terapeuta, mas não quis demonstrar isso para Suzie, que, apesar de tudo, estava sendo muito atenciosa comigo. Peguei o cartão que me entregava – Roy Oden | Psychologist, Ph.D. – e confirmei que entraria em contato, dizendo, como ela pedia, que se tratava de recomendação sua. Quando eu estava de saída, ela me disse:

– Se eu puder ajudá-lo ainda de outra maneira, Rick, você tem meu número.

Um pouco desconcertado com a sua fala, que me pareceu contraditória, saí de seu consultório, deixando a porta bater às minhas costas e pensando que jamais eu poderia voltar a sonhar com uma inimaginável viagem a Veneza.

CAPÍTULO 3

RICK

Por alguma razão que eu desconhecia, Suzie passou a ocupar com frequência meus pensamentos. Claro, era uma mulher atraente e com quem eu havia tido uma excelente conversa. Mas, por mais extraordinária que ela pudesse parecer, não era normal que eu ficasse tão entregue – muito menos a alguém que, de certa forma, eu acabara de conhecer. Ficar assim mais sensível talvez fosse uma novidade trazida pelo aneurisma.

Quando Alice, que estava de passagem pela cidade, me convidou para um almoço em Rose Hill, não foi apenas a vontade de ver minha filha que me levou a aceitar. Afinal, havia tantos lugares interessantes na cidade. Embora eu preferisse, para ser informal, as opções em West Village, ela queria conhecer o restaurante recém-inaugurado por uma amiga. Estaríamos a algumas quadras do consultório de Suzie.

Alice falou com sua vivacidade característica ao longo de muitos minutos, contando sobre as matérias políticas que estava preparando para a CNN e a vida em Washington, que muitas vezes a deixava com saudades de Manhattan. Só interrompeu a fala agitada quando chegou o momento de perguntar como eu estava desde a consulta com o dr. Steve.

— Como você está lidando com isso, pai?

Parecia querer dizer mais alguma coisa, mas, com os olhos marejados, pegou na minha mão e se calou. Fiquei um pouco perturbado com a abordagem de Alice. Afinal, ela era minha filha e estava controlando o seu sofrimento para que eu pudesse falar sobre o meu. Recuei, tentando mostrar uma atitude otimista e escondendo o número 5 que piscava como um anúncio luminoso na minha mente:

— Estou bem, Alice. No fundo, acho que minha condição não é especial: todos nós podemos morrer a qualquer momento. Posso sair daqui e sofrer um acidente, e o aneurisma não ter nada a ver com a minha morte.

Ela entendeu que, com isso, eu revelava a minha indisposição para falar sobre o assunto. Com algum esforço, afastou sua melancolia e retomou o ritmo intenso de sua fala. Eu me sentia contente em vê-la tão realizada, segura de suas conquistas. Por mais que eu tivesse falhado em alguns momentos, sendo às vezes omisso ou ausente, pode-se dizer que, com toda a dedicação de Sharon, fizemos um excelente trabalho. Alice havia realmente se tornado uma mulher notável.

Depois do almoço, propus uma caminhada, mas ela disse que sua passagem pela cidade seria muito rápida e se despediu apressada. Sem pensar, deixei-me conduzir em direção a Kips Bay, passando pelo 69th Regiment Armory e o Baruch College. Quando dei por mim, estava a apenas alguns metros do número 437 da Terceira Avenida. Com receio de ser surpreendido por Suzie, que olharia com fatal desconfiança para a minha presença ali, tomei o sentido contrário, em busca da estação do metrô mais próxima. Tarde demais: no quarteirão seguinte, lá estava ela, caminhando em minha direção.

II

Parecendo surpresa, Suzie se aproximou, abriu um sorriso e disse:

— Rick, que curioso encontrá-lo por aqui!

— Sim, que coincidência! Almocei com Alice em um restaurante próximo, de uma amiga dela, e agora estava à procura de um café.

— Ah, o restaurante de Rachel! É uma amiga em comum, estou também para conhecer. O que você achou?

— Muito interessante. A refeição foi rápida, e Alice pareceu gostar muito — Suzie esboçou um sorriso, talvez pelo choque de gerações que se escondia por trás de meu comentário. Como ela ainda não havia se despachado da conversa, arrisquei:

— Você conhece um bom café por aqui? Está livre agora, pode me acompanhar?

— Tenho um intervalo, sim. Há um ótimo café em frente ao consultório, mas, para evitar encontrar com pacientes, frequento outro, na Segunda Avenida. Vamos até lá?

Suzie pediu a versão picante de um drinque de café, e eu escolhi algo mais clássico, um expresso *macchiato*. Ela perguntou sobre Alice, de quem não tinha notícias fazia alguns meses. Depois, quis saber como eu estava me sentindo e se manifestou preocupada por eu não ter procurado acompanhamento, como havia prometido.

— Tinha certeza de que você procuraria o Oden, e ele me disse que isso não aconteceu. Espero que você não se sinta invadido, mas queria dizer que considero fundamental você ter algum apoio.

A conversa tomava um rumo que eu não planejara ao convidá-la para o café e que me obrigava a ser honesto com ela:

— Para ser sincero, Suzie, eu não tinha intenção de procurar ajuda psicológica. Aceitei a sugestão de Sharon porque senti que devia isso a ela, e também por você ser uma pessoa conhecida. Mas, se isso deixar você mais tranquila, prometo que vou pensar melhor no assunto.

Minhas palavras pareceram tranquilizá-la. Ela desviou o olhar para a tela de seu telefone e, vendo o horário, mostrou-se ansiosa:

— Rick, tenho que ir. Estou atrasada para o próximo atendimento. Obrigada pelo convite, foi muito bom revê-lo.

Suas palavras me convidaram a ceder aos meus impulsos. Pela primeira vez eu sabia exatamente o que era o senso de urgência imposto pela minha condição:

— Também gostei muito, Suzie. Aliás, gostaria de levá-la para jantar. Talvez na próxima semana?

Parecendo surpresa com o convite, ela me deu uma resposta cujo sentido real não fui capaz de compreender:

— Pode ser, Rick. Vamos combinar.

E saiu apressada, deixando-me uma estranha sensação de vazio.

III

Alguns dias se passaram sem que eu soubesse o que fazer. Suzie não havia recusado meu convite, tampouco havia dito sim. A última coisa de que eu precisava nessa altura da minha vida era parecer inconveniente aos olhos de uma mulher.

Fiquei supresso quando, numa terça de manhã, durante uma reunião com investidores, recebi uma mensagem de um telefone desconhecido, que dizia: "Olá, Rick. Este é meu número pessoal. Se o convite estiver de pé, vamos combinar aquele jantar?". Mais tarde, lhe telefonei e combinamos para dali a dois dias, na quinta-feira.

Suzie e eu nos encontramos na Lexington Brass, perto da catedral de Saint Patrick, uma taberna rústica e discreta em Manhattan, entre meu apartamento e seu consultório. Era como se fôssemos simplesmente sair do trabalho e andar pela rua para ir jantar. Nas nossas mensagens, íamos flertando cada vez mais, mas eu gostaria que tivéssemos mais descontração e menos cerimônia. Ainda me preocupava que ela voltasse a ter hesitações ou decidisse colocar barreiras entre nós. A verdade é que, depois de tantos dias com ela em minha mente, eu estava possuído de desejo. Eu a queria mais perto de mim. Gostaria de conhecê-la mais de perto.

CAPÍTULO 4

SUZIE

Será que pareço muito ansiosa? Muito exigente? Estou extrapolando minha atividade profissional e me aproveitando de um homem debilitado emocionalmente? Tudo isso passava pela minha cabeça.

Já estava pensando numa explicação plausível para ter colocado um vestido tomara que caia preto, de jérsei, e sandálias douradas para trabalhar, mas, quando olhei por baixo do toldo onde ficam os manobristas, vi bem à minha frente Rick, com uma malha italiana bem descontraída. Ele também estava muito elegante; com certeza não vinha de seu escritório.

Desde a última vez que nos vimos, me convenci de que era um coroa muito bonito – quando jovem, deveria ser um homem encantador, como ainda era possível perceber. Mas eu então via que ele era bonito mesmo, mais bonito do que eu fotografava mentalmente. Seus cabelos lisos e castanhos com acentuadas mechas brancas transmitiam a marca do tempo e da experiência. Seu sorriso era de um carisma avassalador.

Ao me ver, ele se levantou imediatamente da cadeira e estendeu os braços em volta de mim. Eu estremeci um pouco ao sentir pela primeira vez a solidez de seu corpo contra o meu.

– Que bom ver você.

– Bom te ver também.

O abraço demorou, como o de velhos amigos se reencontrando depois de um longo tempo. Seu perfume chegava ao meu nariz como uma sintonia de desejo e cio. Meu Deus! O que se passava tão repentinamente comigo?

– Olá – disse ele novamente.

– Olá, por que essa cara tão séria? – respondi.

– Nada... Eu estava preocupado em deixá-la esperando, mas agora já estou tranquilo. Você está linda. Esse vestido...

Não sei por que aquele elogio me fez corar. Tentei disfarçar, elogiando também a escolha dele:

– Você também está muito charmoso nesse suéter.

– Isto aqui se chama um "abafa bananas". Serve para ir ao cassino jogar; nas salas de pôquer costuma fazer muito frio.

Depois de pedirmos aperitivos e drinques, começamos a conversar. Era como se a gente já se conhecesse havia muito tempo.

RICK

Com nenhuma outra mulher a conversa corria tão bem. Suzie e eu éramos capazes de falar sobre qualquer assunto – desde os fatos do noticiário e as peças em cartaz na cidade até a história de nossas famílias. Cada um desses temas puxava outro, e a impressão era que todo o tempo do mundo não seria suficiente para esgotar os inúmeros desdobramentos do nosso papo. Cada detalhe era pretexto para nos aproximarmos:

– Então, Rick, quer dizer que você é frequentador de cassinos? – ela perguntou, fazendo um gesto que, apontando para si mesma, remetia para a minha suéter.

– Sim, já faz muitos anos que gosto de frequentá-los. Aliás, muitas vezes viajo com o pretexto de conhecer os cassinos locais, e nem sempre para os destinos mais óbvios. – Como ela se revelou interessada, aproveitei para continuar: – Certa vez, passei dez dias na América Latina, jogando em Mendoza e Punta del Este. Já fiz o mesmo também em Portugal.

– Nunca havia ouvido falar de alguém assim, Rick! Você viaja apenas para conhecer os cassinos?

– Algumas vezes, sim. Para ser sincero, em Portugal acabei fazendo outros programas também. No Douro me hospedei no Six Senses e aproveitei para conhecer algumas vinícolas, como a Maria Isabel. Nessa oportunidade passei a entender a intimidade do homem com a terra, a atenção para com os fatores externos, climáticos, a importância de se respeitar o tempo, com sensibilidade guiada pela ciência e pelo tato. A qualificação dos sentidos requer a consciência de todo o processo. É preciso entregar-se com inteireza, como fazem os verdadeiros artistas.

— Esse é o tipo de coisa que faz mais sentido para mim. Tenho um pouco de aversão a esses ambientes de jogos. Se observar bem as pessoas, elas parecem tristes, abandonadas entre a expectativa do ganho e a frustração da perda.

— Entendo o que você diz, Suzie, pois muitas pessoas vão aos cassinos para alimentar algum tipo de vício que possuem. Eu tenho uma relação mais profissional com o jogo, estou sempre atento às possibilidades e sou muito cuidadoso com a administração do dinheiro.

— Assim parece melhor, Rick. Você já esteve na Irlanda para jogar?

— Estive, e Dublin foi uma grande surpresa. Não imaginava encontrar casas tão bem estruturadas lá. Você parece até uma entendida do assunto! Por que me perguntou a respeito?

— Li sobre isso no jornal há algum tempo, e agora me lembrei. Visitei algumas casas na capital, mas acho que me veio à tona porque tenho uma relação importante com a Irlanda. Minha família veio de lá.

Eu estava ansioso para conhecê-la melhor, por isso fiquei muito entusiasmado quando ela me contou sobre suas origens. Suzie era descendente de irlandeses que haviam emigrado para a América na segunda metade do século XIX. Eles haviam se estabelecido inicialmente em

Boston e tiveram muita dificuldade nos primeiros tempos. Foi só depois, quando as coisas começaram a melhorar, que se mudaram para Nova York, onde ela nasceu. Da formação religiosa, Suzie dizia ter conservado a disciplina e a relação bastante próxima com a família. Eu poderia apostar, pelos nossos poucos encontros, que o modo como se interessava pelas pessoas e as escutava também vinha daí.

Apesar de toda a sintonia, as diferenças entre nós eram abissais em relação a projetos futuros. Eu era um homem já vivido, com bem mais idade e família já realizada, e ela, uma jovem batalhadora, com um longo desafio ainda a conquistar na vida. Não tinha filhos nem rendimentos que lhe pudessem garantir o amanhã. Já não era tão jovem para um novo casamento, mas também não estava velha para ter um novo amor. O mundo profissional era, naquele momento, o que mais lhe importava. Ela fazia questão de manter suas aventuras, inclusive as amorosas, regradas até certo ponto. Aproveitei que ela havia tocado neste assunto para perguntar:

– Suzie, se não quiser falar sobre isto, tudo bem, mas gostaria de saber se você ficou bem em relação à história do Harry... – eu estava procurando uma maneira de não ser invasivo, já que não queria deixar de saber como ela estava.

– Já estou bem, Rick. Disse a ele como eu me sentia, e ele se mostrou ainda mais machista e insensível do que eu imaginava. Prefiro nem repetir as palavras dele, mas pode ter certeza de que isso me ajudou a superar mais rapidamente. Aliás, obrigada por aquele dia e por ser discreto em relação ao meu desabafo.

— Não há por que agradecer, Suzie. Fico feliz em tê-la ajudado de alguma maneira.

— Sim, mas eu é que deveria ajudá-lo. Como psicóloga, peço desculpas pelo que aconteceu.

A fala de Suzie me deu margem para acreditar que, se ela como profissional lamentava o ocorrido, como mulher talvez o visse de outra maneira. Mas ela logo levou a conversa para outro rumo, e eu percebi que não era o caso de insistir. Eu me sentia muito feliz com a presença dela e não queria que uma tentativa de aproximação parecesse abusada, pondo tudo a perder. Aceitei o ritmo de Suzie, que nos levou por uma deliciosa conversa, só interrompida quando o restaurante fechou.

CAPÍTULO 5

RICK

Os dias passavam sem que eu deixasse de ansiar pela presença de Suzie. Na verdade, meu desejo por ela crescia a cada dia. Eu me via com frequência distraído no trabalho, lembrando de sua risada, seu olhar também ávido, o modo como fazia qualquer refeição parecer aperitivo para o amor.

Uma das minhas lembranças favoritas, que retornava várias vezes como um *flash*, era do pôr do sol a que juntos havíamos assistido em um restaurante à beira do rio Hudson. Tínhamos ido tomar drinques, e o dia frio não havia roubado a intensidade do sol. Ela estava especialmente bonita naquele dia. Usava um vestido dourado, e sua maquiagem, embora leve, ressaltava os seus melhores traços.

Suzie parecia feliz e descontraída. Contava histórias engraçadas que havia testemunhado nas ruas de Nova York e ria das histórias que eu lhe narrava. Era a primeira vez que ela me tratava com mais intimidade, passando as mãos pelos meus cabelos, falando de programas que poderíamos fazer juntos no verão e me contando alguns detalhes bobos, mas deliciosos, de sua rotina – os desentendimentos cômicos com os proprietários do restaurante chinês que funcionava no seu prédio, as docerias da cidade que, na sua opinião, serviam o melhor *cheescake*...

Eu esperava que um programa desse tipo me ajudasse a derrubar as resistências que ela parecia ter. Suzie era sempre luminosa e encantadora e, no entanto, resistia em oferecer-se, colocando limites rígidos para o contato de nossos corpos. Aquele dia não tinha sido diferente: ao mesmo tempo que parecia procurar meu carinho, acabava sempre por se retrair. Ela fornecia as imagens que alimentavam a minha fantasia – a realização, no entanto, ela apenas adiava.

Eu tinha dificuldade para compreender por que ela se esquivava toda vez que o nosso contato ficava mais intenso. Além disso, temia que alguma investida mais drástica a assustasse, afastando-a de mim. Eu pensava em oferecer mais carinho, mas tinha receio de parecer pegajoso. Se renunciasse a todo contato, poderia dar a ideia de que não a desejava como mulher.

O equilíbrio parecia algo delicado. Eu poderia passar algumas semanas tentando encontrá-lo ou lidar com tudo isso de uma forma criativa e intensa – à altura da sentença que pairava sobre a minha cabeça. Então, decidi: estava na hora de saber se essa era sua maneira de se relacionar com os homens ou se minhas atitudes impediam que ela se entregasse, por pura insegurança. Eu tinha imaginado o plano perfeito, que traria todas as respostas.

SUZIE

Eu começava a sentir por Rick algo que nunca havia sentido por nenhum outro homem. Tudo era fácil ao lado dele. Nós tínhamos as conversas mais envolventes, nossos corpos se procuravam sempre em sintonia, estávamos sempre confortáveis um ao lado do outro.

Meu desejo era me entregar completamente. Eu queria me doar inteira: estar sempre com ele, dedicar-lhe o melhor de mim, fazê-lo sentir que, ao meu lado, ele havia encontrado o seu lugar. Sempre que eu seguia esse instinto, porém, algo me barrava. Uma inundação de dúvidas. Era certo confiar em um homem que parecia ter tido tantas mulheres antes de mim? Não seria loucura demais me entregar a alguém cuja vida repousava em um equilíbrio delicado? O aneurisma de Rick seria apenas mais um elemento do convite para que eu cedesse aos meus desejos com urgência ou um sinal vermelho captado pelo meu instinto de autopreservação?

Minhas hesitações estavam cada vez menos sutis, e eu sabia que ele estava percebendo. O dia em que assistimos ao pôr do sol tinha sido o exemplo mais óbvio disso. Rick parecia estar tentando criar um momento único: o horário, o lugar, os drinques – tudo colaborava para o clima especial.

Eu tinha vontade de me deixar levar, entregando-me sem restrições às suas carícias para ver aonde aquilo ia parar. Mas, sempre que me soltava um pouco, sentia o choque violento dos dois lados que concorriam dentro de mim: o desejo de amar e ser amada me jogava para os braços de Rick; o medo de me machucar me fazia querer fugir.

Eu me arrependeria de toda essa hesitação se, a partir daquele dia, Rick não tivesse caprichado no que tinha de melhor. Ele marcava sua presença de um jeito sólido, mandando mensagens, perguntando sobre o meu dia e contando a respeito de sua vida, me convidando para eventos que aconteceriam dali a semanas – deixando claro o seu interesse, mas jamais fazendo qualquer tipo de pressão. Outros homens na posição dele poderiam tentar simplesmente seduzir com presentes caros e gestos românticos artificiais. Ele não deixava de me agradar com bons vinhos e outras pequenas extravagâncias, mas essa não era, definitivamente, sua única estratégia.

Por isso, quando recebi seu convite para jantar naquela sexta-feira, eu estava disposta a ceder às forças que me levavam para perto de Rick.

RICK

Escolhi um restaurante italiano onde poderíamos fazer uma refeição privada, preparada ao sabor do *chef*. A cozinha era tipicamente romana, é verdade, mas eu sabia que, mesmo após conhecer minha verdadeira intenção, Suzie me concederia essa licença poética. Quando ela chegou ao restaurante, deslumbrante em um vestido bordô que acentuava as curvas por onde eu queria deslizar, senti-me confiante de que tudo seria impecável e eu conseguiria o que estava buscando, me entregar como um todo.

— Olá, Rick. Vejo que você não poupou esforços para que a noite de hoje fosse especial — disse Suzie. Fiquei feliz com o reconhecimento e respondi com um sorriso, indicando-lhe a mesa que nos havia sido preparada.

Disse a Suzie que aquele restaurante me lembrava das melhores experiências gastronômicas que eu havia tido na Itália. De Roma, ficara o sabor do queijo pecorino em que se mergulha a massa; de Florença, o aspecto macio da bisteca malpassada; de Milão, o aroma lento e persistente do risoto. Era inegável que partilhávamos o mesmo prazer — não apenas pela comida, mas também pelo vinho. Suzie me contou de suas viagens àquele país, revelando apreciar das mais sofisticadas às mais simples criações italianas — capazes de surpreender, como ela dizia, até mesmo nos restaurantes de aparência grosseira.

Embarcamos numa conversa sobre gastronomia que acabou derivando para um papo mais sério sobre desejos que já havíamos realizado e sonhos que ainda estavam por concretizar. Era justamente essa a direção que eu procurava dar, na expectativa de que Suzie retomasse o tema das viagens que gostaria de fazer. Ela parecia adorar o papo, revelando-se divertida e despretensiosa.

Percebi que Suzie evitava falar sobre planos que envolvessem a formação de uma família, preferindo comentar suas aspirações profissionais e os pequenos prazeres mundanos que gostaria de provar. Boa parte do que ela almejava conhecer não era novidade para mim, mas isso me entusiasmava, como se pudesse caber a mim apresentar todo aquele mundo para Suzie. Ao mesmo tempo, eu me perguntava se seria capaz de lhe oferecer tudo o que, em sua jovem maturidade, ela merecia viver. Bem, ao menos um desses sonhos eu poderia realizar. Assim, mais ansioso do que poderia suportar, decidi trazer o assunto à tona, desistindo de esperar o gancho perfeito:

– Tenho uma novidade para nós – eu disse repentinamente.

– Sim, o que de tão especial tem a dizer, com tanta eloquência? – perguntou, com ar zombeteiro.

– Tenho para você uma surpresa em forma de convite.

Seus olhos brilharam como uma criança, mas ela se manteve em silêncio, revelando sua curiosidade com um leve movimento da cabeça.

– Tenho um convite sugerido por um velho amigo para passarmos o Carnaval em Veneza.

Suzie continuou em silêncio, e pela sua expressão eu não poderia saber se estava feliz ou não com a notícia. Eu estava a ponto de considerar ridículo não apenas a minha proposta, mas todo o contexto que havia preparado, quando ela finalmente falou:

— Rick, estou bastante surpresa, mas muito feliz. Vejo um pouco de loucura nessa sua proposta, porque para mim ainda não está muito claro o que é a nossa relação.

— Concordo, Suzie. Mas você certamente entende as razões de minha loucura — assim que terminei de dizer isso, me dei conta de que poderia parecer uma chantagem com Suzie. Ela, por sorte, foi mais delicada do que eu havia sido:

— Sim, é claro que entendo. Por isso mesmo, e porque também estou disposta a experimentar coisas novas, é que vou aceitar o seu convite. Sei que você não escolheu esse destino por acaso. — E de repente, como quem se dá conta de algo que durante muito tempo esteve à sua frente, ela disse: — Ah, meu Deus, e hoje, este jantar! Ela se levantou, dirigiu-se até minha cadeira. Puxou-me, para que eu me levantasse, abraçou-me forte, colando seu corpo ao meu, e me beijou, deixando-me sentir o sabor do vinho. Eu já estava completamente excitado quando ouvi o garçom aproximar-se. Constrangido, ele se preparava para dar a volta. Nas mãos, as nossas sobremesas. Fiz sinal para que ele avançasse. Suzie, envergonhada, já se distanciava.

— Espero que você não tenha restrição de datas. As reservas são para a próxima semana — eu disse, saboreando uma expectativa adolescente.

— Sim, preciso apenas comunicar meus pacientes, nada que vá gerar grandes transtornos.

Continuamos a falar de nossa aventura. Suzie, muito madura e senhora de si, demonstrou segurança em relação à viagem. Combinamos que nada seria irreparável ou incondicional: se as nossas expectativas não fossem atendidas, daríamos um ao outro o espaço necessário, inclusive antecipando a volta a Nova York, se fosse o caso.

Suzie tentou falar de nossos planos como se ainda estivessem abertos, mas a verdade é que eu já havia providenciado tudo. Ela esboçou a intenção de compartilhar as passagens, o que não teria o menor sentido. Talvez tenha sido a sua maneira de me dizer: não te devo nada, nem sou obrigada a nada. Eu havia entendido o recado, de qualquer maneira.

Alguns dias depois, faríamos a viagem.

CAPÍTULO 6

RICK

Depois que Suzie aceitou o convite para a viagem, tive alguns dias em que me senti como um adolescente: um misto de excitação e ansiedade me deixava com um sorriso permanente no rosto, enquanto minha mente eram só fantasias. Nas reuniões de trabalho, as piadas de costume me traziam para a realidade:

– Então, Rick, quem é que ficou na sua cama esta manhã e que prendeu sua cabeça por lá?

A verdade é que Suzie passava longe da minha cama, e isso talvez estivesse me deixando ainda mais ansioso. Veneza definiria o rumo da nossa relação. Ela provavelmente achava o mesmo, já que de modo muito natural, numa espécie de acordo tácito entre os dois, acabamos não nos encontrando nos dias que antecederam a viagem. Apenas trocamos mensagens e nos falamos ao telefone.

Quando nos encontramos no aeroporto JFK, achei que Suzie também estava com uma alegria adolescente. Ela ria, gesticulava, apertava com força minhas mãos enquanto caminhávamos. Depois de despachar as malas, fizemos um pequeno lanche no *lounge* da Alitalia. Pensei que era a ocasião ideal para lhe apresentar a segunda parte da proposta:

— Recebemos um convite para uma festa de Carnaval onde todos são cuidadosamente selecionados. É algo um tanto ousado, e gostaria de saber se você se sentiria à vontade para conhecer. Sei que é de alta classe porque foi indicação de um casal amigo meu, que frequenta a festa há algum tempo. Mostrei-lhe, no telefone, o convite que havia recebido. Os arabescos da moldura remetiam para um contexto antigo e tradicional, enquanto imagens de máscaras e corpos bem esculpidos traziam a sugestão de um prazer a desvelar. "Madame O. convida..." Suzie permaneceu observando em silêncio. Tive receio de ter sido muito precipitado.

— Fiquei bastante curioso para conhecer, mas vou entender se você achar que está muito distante da viagem a Veneza que você imaginava – completei, tentando amenizar a situação.

— Para dizer a verdade, está muito distante de tudo o que eu imaginava, sim. Exceto pelas máscaras do convite – disse, sorrindo. Isso era bom, ela estava tentando ficar descontraída diante do convite que a deixara embaraçada.

— As pessoas são livres e nada é imposto, podemos mais nos divertir e conhecer pessoas e novos mundos do que qualquer outra coisa. Estou descobrindo que é uma delícia viver quando nos libertamos de qualquer tipo de preconceito – tentei lhe mostrar que também para mim se tratava de uma descoberta.

— Sim, Rick, eu entendo e confesso que também tenho muita curiosidade. Alguns pacientes meus fazem relatos bastante... plásticos de situações como as dessa festa. Eu apenas estou surpresa com o seu convite neste momento. Vamos fazer assim: temos um longo voo pela frente, durante as próximas horas vou pensando sobre o assunto, tudo bem?

— Claro, Suzie. Pense pelo tempo que precisar, não estou de nenhuma forma tentando obrigá-la a fazer algo que não queira.

Ela sabia disso, o que confirmou ao me dar um beijo e me pegar pela mão, dizendo para irmos em frente, pois estava na hora de embarcar.

Chegamos a Veneza no fim da tarde. O sol se desenhava no céu, criando belas paisagens alaranjadas logo antes do anoitecer. Tomamos o famoso táxi aquático da cidade — o *taxi acqueo* — até nosso hotel, que ficava à margem do canal.

Não há no mundo caminho mais bonito entre um aeroporto e um hotel. Passamos por vários grandes pontos da cidade, como o Grande Canal — o principal de Veneza — e diversas pontes, como a de Rialto. Foram 25 minutos cheios de beleza e vontade de permanecer por muito tempo em cada canto daquele lugar.

O hotel, não por coincidência, se chamava Splendid Venice — era realmente esplêndido, à beira do Rio dei Bareteri, na Rua San Marco Mercerie. Cansados, resolvemos jantar no hotel, cujo restaurante era simplesmente fantástico, como qualquer pessoa que chegue a Veneza pode esperar: os candelabros espalhados por todo o ambiente davam uma sensação romântica sem fim; os garçons, sempre de prontidão para, a um leve sinal, nos servir. Jantamos divinamente – uma refeição elaborada e cheia de delicadezas –, ao suave som de clássicos populares italianos, como *Al di lá* e *Roberta*, de Peppino di Capri. Foi uma recepção encantadora.

O quarto era composto em estilo romano, com duas pesadas cadeiras de vime com macias almofadas. Nas paredes, entre dois abajures fixos, encontrava-se uma bela tela de Tiziano, uma reprodução de seu quadro *Bacanal dos Andrians*. Parecia auspicioso, tendo em vista a festa do dia seguinte, na qual, se tudo desse certo, iríamos viver um hedonismo sem precedentes. Eu estava tomado por uma expectativa sem fim.

Suzie estava linda, e percebi pelo brilho de seus olhos todo o encantamento por aquela viagem. Isso me deixou mais confortável, não queria ter dúvidas de seus sentimentos e de seu desejo de estar comigo naquele momento. Ainda assim, eu me sentia um pouco embaraçado. O quarto possuía uma enorme cama, e nunca havíamos tido tamanha intimidade. Mas não éramos crianças. Quando decidimos embarcar naquela viagem, sabíamos que os riscos desse contato seriam inevitáveis: se daria ou não prazer, a experiência seria apenas nossa, e de mais ninguém.

SUZIE

Dizer que eu estava surpresa diante daquele momento seria infantilidade. Rick não era nenhuma criança, e eu também já era uma mulher adulta. Quando aceitei estar com ele na viagem, já sabia que nosso destino seria a cama em comum. Em Nova York, eu havia decidido que aceitaria viver com Rick as intensidades que ele desejasse compartilhar comigo, sem contrariar ou constranger os meus princípios, mas também sem colocar barreiras desnecessárias entre nós. Além disso, os dias anteriores a essa viagem já haviam criado situações que certamente iriam descambar naquele momento. A química entre nós era evidente, e o jantar parecia nos ter deixado mais animados, para que não tivéssemos qualquer tipo de frustração.

Eu estava no ponto. Não iria provocá-lo, mas tampouco resistiria. Se ele me quisesse, me teria naquela noite.

RICK

Mesmo exausto depois de dez horas de voo, tomamos mais uma taça de vinho sacado do frigobar e nos aconchegamos numa enorme cama. Nos deitamos e confesso que não estava muito descontraído. Senti o mesmo em Suzie e isso parece uma coisa telepática. Se você avançar mais do que sua intuição permite, você poderá tornar-se inconveniente, e isso era tudo que eu não queria.

Nossos olhares se encontraram no teto do nosso quarto e inusitadamente Suzie falou ainda com um olhar infinito para cima:

– Nós parecemos agora duas crianças – me olhou e sorriu.

O "seu sorriso foi como um sinal para me desinibir".

Com minha mão alisei suavemente seus cabelos já soltos para dormir. Levantei-os para cima do pescoço, descobrindo sua orelha macia e delicada e encostei meus lábios levemente chegando a sentir um pequeno brilhante cravado em seu lóbulo... que formava com a outra um fino e delicado par de brincos.

Senti seu arrepio ao recostar a cabeça ao ombro pelo meu carinho como proteger-se daquela sensação erótica, mas não por repulsa, e sim por vibração sensual.

Mas Suzie não falou a menor palavra.

Sorrateiramente, entre os lençóis, toquei suavemente seu abdômen. Ela suspirou, num consentimento murmurativo, o que me estimulou a descer lentamente com os dedos até o púbis. Percebi que ela estava molhada de tesão.

Comecei a tocar suavemente sua parte mais íntima, e ela abriu as pernas vagarosamente, até que meus dedos a penetrassem plenamente. Fiz prazerosamente aquele movimento repetidas vezes, até ela suspirar de emoção. Ao pressentir que suas pernas voltavam a cruzar-se, percebi que havia gozado, tão discreta como docemente.

Eu estava tremendamente excitado, mas preferi não penetrá-la, pois não conhecia ainda suas reações sexuais. Talvez, depois de gozar, ela pudesse se sentir desconfortável, com seu excitamento satisfeito. Não quis correr o risco de ser impertinente e estimular, num ato de amor, um mínimo de repulsa.

Recuei um pouco e a deixei naquele estado de sublimação, com os olhos voltados para o outro lado da cama. Perguntei cautelosamente:

– Você está bem? – sussurrei baixinho.

Ela virou a cabeça para mim, a poucos centímetros de me beijar.

– Sim.

E inclinou-se mais, encostando os lábios nos meus. Lentamente abriu a boca, até que eu a penetrasse com minha língua. Não consigo, honestamente, descrever a sensação que tive ao beijá-la. Fiquei embevecido com a maciez de seus lábios e o adocicado de sua boca.

Percebi que seu desejo se confundia com o meu, e que nada seria impertinente. Isso me deixou extremamente relaxado e me encheu de paixão e tesão.

Senti reciprocidade naquele sentimento e me dei o direito de continuar a acariciá-la.

SUZIE

Fiquei maravilhada com seus toques sensuais e com a sensação de sua barba por fazer depois da longa viagem. Senti seu queixo raspando a pele do meu pescoço e descendo. Suas mãos seguravam-me bem colada nele, deslizando pelas minhas costas.

Uma corrente elétrica percorreu todo o meu corpo quando ele virou minha cabeça contra a sua e me cravou os dentes, com paixão ardente. Senti-me como uma adolescente, querendo cada vez mais sua boca, e com ainda mais força ao ouvi-lo soltar um gemidinho baixo e senti-lo deslizar a mão pela minha bunda.

Suavemente, suas mãos desceram sobre o meu quadril, guiando-me em direção a seu corpo nu. Senti seu pau duro e completamente excitado. Levantei uma das pernas sobre sua cintura e deixei que ele penetrasse suavemente minha vagina molhada de desejo.

O jeito como ele se mexia, roçando em mim, fez-me contorcer de prazer, tendo que cerrar os dentes para não gritar. Como numa valsa de amor, chegamos ao clímax simultaneamente.

A sensação de realização e relaxamento se unia ao cansaço causado pela viagem e me transportava para um mundo distante, onde parecia que nenhum músculo poderia guardar qualquer tensão ou até mesmo se contrair. Antes de adormecer com a cabeça no peito de Rick, comuniquei a ele minha decisão:

– Vamos sim àquela festa.

RICK

Ao amanhecer o dia, vi as olheiras daquela noite mal dormida. Seus cabelos desgrenhados cobriam seus lindos olhos castanhos esverdeados, e um estranho afeto tomou posse de mim diante de um turbilhão de dúvidas e aflições que povoavam a minha cabeça. Estava dominado pelo carinho angelical, por uma estranha ternura por aquele corpo frágil e aquele rosto fino.

Não sabia se aquela viagem em um incrível mundo novo de pessoas liberais, uma festa inusitada, iria trazer prazer ou descontentamento à nossa relação.

Como seriam as pessoas? Por que gente do mundo inteiro era escolhida e convidada a participar daquele evento? Eu estava tremendamente curioso e excitado para conhecer e sentir a realidade do incrível mundo secreto dos *swingers*.

Depois de um longo descanso tomamos um saboroso café e saímos a pé pelas ruelas centenárias de Veneza, em busca de máscaras e fantasias para a festa do dia seguinte.

Suzie caminhava arrebatada, admirando cada detalhe do caminho: o colorido das casas à beira dos canais, as praças que inesperadamente se abriam após passagens estreitas, as floreiras às janelas com as poucas folhas que haviam sobrevivido ao inverno, os casais de idosos que passavam com seus mantos de lã, carregando sacolas imensas de compras feitas nos minimercados tão comuns naquelas ruelas, e os jovens que equilibravam grandes peças coloridas, claramente destinadas às suas fantasias carnavalescas. Tudo parecia um espetáculo montado apenas para Suzie, que realizava o sonho de estar naquela cidade. Eu a observava, também inebriado.

Caminhávamos, de mãos dadas, como dois namorados. Ao lado dela eu me sentia rejuvenescido, experimentando sensações e sentimentos que há muito estavam adormecidos. Proporcionar a ela momentos como aquele era tudo o que eu poderia desejar. Era ainda cedo para lhe dizer, mas em Veneza decidi que, se ela permitisse, eu dedicaria meus cinco anos de vida à sua felicidade.

Estávamos distantes da rica história veneziana, passando longe de Ticiano, Bellucci e tantos outros mestres da arte quinhentista. A Biblioteca de São Marcos era um detalhe na paisagem, os belíssimos edifícios helenísticos nada nos faziam sentir. Mesmo os trabalhos de Bellini e Giorgione não nos atraíam para a contemplação. Estávamos envolvidos numa experiência existencial, inédita para os dois.

CAPÍTULO 7

RICK

Em Veneza, no Carnaval, é comum as pessoas andarem fantasiadas pelos becos e praças. Quando as fantasias são bonitas ou espalhafatosas, os turistas até param as pessoas para fotografá-las.

Estávamos discretamente vestidos se comparados aos outros que iríamos encontrar na festa. Suzie usava uma linda máscara dourada, com penachos azuis que cobriam parte de seus belos cabelos, de mechas também douradas. Eu usava uma calça preta e justa, de cintura alta, e uma máscara negra aveludada, como se fosse Zorro.

Seguindo as instruções que havíamos recebido no convite, seguimos para Rialto, onde fomos abordados por um gentil cavalheiro que nos encaminhou até um píer acostado no canal central e nos embarcou numa lancha. O destino era um lindo palácio amarelado de estilo bizantino, que, visto de fora, parecia sediar apenas mais uma das festas particulares tão comuns no Carnaval veneziano.

Nada na nossa imaginação poderia ter nos preparado, porém, para o que viveríamos ali.

Fomos recebidos por um cavalheiro com pantufas vermelhas, calçadas em enormes meiões brancos que se encontravam, nos joelhos, com um colete de listras vermelhas e douradas. Numa das mãos segurava um enorme cajado, que fazia ressoar a cada vez que um casal transpunha aquela enorme porta de madeira emoldurada por cintas de ferro escuro, típica dos castelos medievais.

A porta se escancarou, revelando um burburinho de curiosidades que, a julgar pela forma como todos nos olharam, parecia dirigido ao barulho que tínhamos acabado de causar. Um homem de forte estatura, vestido com uma enorme capa escarlate e usando uma peruca branca e longa como dos velhos cardeais da Roma antiga, aproximou-se, revelando seu corpo atlético. E disse:

— Piero, *grazie*, sou seu anfitrião esta noite. Espero que tenham feito boa viagem.

Observei os olhos reluzentes de Suzie, que entregavam sua curiosidade em explorar aquele lugar. Confesso ter ficado um pouco enciumado, mas nada que me tirasse do sério. Mesmo porque nenhum marco de fidelidade havia sido selado na noite anterior. Tinha sido ótimo, e intencionalmente procuramos não comentar. Às vezes, as palavras, com a imperícia que nós temos, machucam os mais belos sentimentos.

Piero deu mais um passo à frente, trazendo consigo o cheiro do seu perfume e oferecendo o braço a Suzie. Levou-nos para conhecer alguns convidados daquela noite. No interior do castelo, a penumbra dos ambientes não era suficiente para esconder as lindas mulheres e os homens elegantíssimos que passeavam com suas fantasias clássicas e medievais. As mulheres customizavam as fantasias com decotes sensuais ou lindas barrigas à mostra – para não falar das roupas transparentes, através das quais se viam as silhuetas de corpos cuidadosamente esculpidos.

Olhei em volta. Uma série de rostos encobertos com discretas máscaras venezianas e belos sorrisos atraentes esperava as apresentações. Vestida com panos diáfanos que lembravam uma fada, uma ruiva de rosto angelical envolvia com o braço a cintura de um príncipe mouro. Uma nórdica de olhar indiferente e vestida de vampiro sussurrava algo para seu marido – num gesto que acionou a minha fantasia, me fazendo imaginar que lhe dizia querer chupar todo o meu sangue. Todos nos cumprimentamos, e Piero nos explicou que aqueles casais, frequentadores habituais da festa, poderiam ser nossos guias naquela noite.

Mal tivemos tempo de iniciar qualquer conversa quando todos na sala silenciaram e olharam na direção por onde Suzie e eu havíamos entrado. Também me virei, curioso. Piero passou por mim, caminhando apressadamente em direção ao portal de entrada. Apresentou-nos o convidado que acabara de chegar.

– Senhoras e senhores, este é o *sheik* Rafás, nosso hóspede especial e grande admirador de nossos encontros internacionais.

Mais tarde, soube que o *sheik* contribuía com grandes fortunas para aquelas festas e sempre presenteava com caríssimas joias as mulheres mais deslumbrantes daquele encontro, mesmo sem possuí-las de fato. Estas, porém, não eram muitas, uma vez que poucas resistiam ao seu encanto e à sua aproximação sedutora.

Sheik Rafás usava uma túnica branca, impecavelmente bem passada, com colares verdejantes de esmeraldas misturadas com algumas pedras de rubi, indicando sua origem nobre. Seu queixo era anguloso, e seus olhos, grandes e negros, com cílios grossos e sobrancelhas espessas e escuras. Tinha uma beleza exótica sem igual. Acompanhado de sua equipe de lindas e asseclas mulheres, dava à festa certo toque imperial. Para a maioria de nós, aquele evento era uma fantasia, saída diretamente de nossos sonhos, porém estava claro que tudo ali era familiar para o *sheik*: o que realizávamos poucas vezes era a sua realidade de fato. Reparei que muitas das mulheres ali presentes haviam recebido dele exuberantes gargantilhas de ouro cravejadas com rubis e brilhantes.

Na sala em que todos nos reuníamos até então, era servido um impecável *buffet*, com as mais variadas especiarias orientais e todo tipo de bebida, com destaque para as garrafas de champanhe refrescadas em enormes baldes de prata. Todos os comes e bebes eram recolocados frequentemente por serviçais vestidos com roupas do século XVII. Após a chegada do *sheik*, fomos levados para outro cômodo, bem mais escuro que o anterior e onde não se via quase nada.

Enquanto meu olhar se acostumava com a baixa luminosidade, os detalhes iam ficando mais nítidos. Havia pequenos gazebos envoltos por cortinas de *voil* transparente, onde um ou até mesmo dois ou três casais se amavam ao mesmo tempo. Não que os pares fossem definidos: aquela era uma experiência longe das convenções, impulsionada pelo apetite de corpos e mentes liberais.

Em um cubículo próximo, vi uma mulher belíssima, de quatro, fazendo boquete em um homem, enquanto outro a seduzia por trás. Não havia nenhuma relação entre os dois homens, mas mulheres se beijando e se acariciando era algo comum naquela sala.

Em um quarto, havia uma fila enorme de cabides. Ali eram deixadas as fantasias, que os convidados substituíam por quimonos de seda indiana e estamparias belíssimas.

Suzie virou-se para mim e nos olhamos por um segundo de silêncio atordoado. Nos sentimos como no filme *De olhos bem fechados*, um dos meus preferidos de Kubrick, em que os protagonistas têm um encontro surpreendente. Uma sensação explosiva tomou conta de nós e, em gestos lentos e silenciosos, nos despimos das roupas e vestimos os quimonos. Percebi que Suzie também havia tirado a calcinha, despertando-me um desejo erótico inigualável. Ela escolheu um roupão com um lindo dragão azul, e eu, muito discreto, peguei um preto com *flash* cibernético.

Ficamos um pouco isolados após nos despirmos, quase como se os demais convidados tivessem sido instruídos a nos deixar sozinhos. Mas a regra do jogo era: ninguém toca em ninguém, e não é não. Ou íamos à caça ou voltaríamos para o hotel só pensando na fantasia daquele lugar.

Nos aproximamos de um dos gazebos, cuja cortina estava entreaberta e onde um casal fazia amor. Ele estava em pé na beira do sofá, e ela, de joelhos, gemia de tesão enquanto ele enfiava o pau repetidas vezes em sua bonequinha. Suzie, ao meu lado, também observava aquela trepada extremamente erótica. Cheguei tão perto dos dois que o homem me pediu para acariciar a bundinha nua de sua mulher, de costas também para mim. Quase que por impulso, fiz o que me pediu, ao mesmo tempo que ele passava livremente sua mão entre o corte de roupão de Suzie e acariciava seus peitinhos pequenos e duros. Suzie não repeliu o gesto. A mulher, uma ruiva inglesa totalmente nua, usando apenas uma gargantilha de veludo, virou as mãos para trás e pegou no meu pau já duro de tesão por baixo do roupão.

Ao ver essa cena, o homem, que parecia ser hispânico, e não inglês como sua mulher, afastou-se de nós e disse para mim *"fuck her"*. Ela, por sua vez, rebolou levemente em direção à minha cintura, sob o olhar de Suzie. Entreabri meu roupão, lentamente tirando meu pau e o enfiando em sua buceta. Suzie observava atentamente, parecendo incrédula com o que estava acontecendo. Fiquei ainda mais surpreso quando o hispânico, como se tivesse combinado com sua mulher, abraçou Suzie pelas costas, levantando suavemente seus cabelos sobre os ombros e, após beijá-la na nuca, fazendo-a vibrar de emoção.

Senti uma inexplicável dor no peito quando ele curvou Suzie na mesma posição de sua mulher, levantando o dragão de seda que a cobria e metendo repentinamente seu pau dentro dela. Vi que ela travava os dentes para não gritar. Estava possuída de tesão. Ele me parecia um daqueles experientes frequentadores de clubes de *swing*. Puxou os sedosos cabelos de Suzie para trás e controladamente manteve-se ali até ela gozar, o que logo aconteceu, pois, mesmo trincando os dentes, ela não conteve sua excitação, gemendo sem medo de ser indiscreta. Não sei como explicar, mas tudo aquilo me dava um desejo tremendo, que eu nunca havia experimentado, e fiquei também muito excitado dentro da ruiva, que não parava de gritar.

Suzie e eu saímos dali sem dizer qualquer palavra, nem entre nós, nem para nossos meteóricos parceiros. Ao deixarmos a sala, fizemos uma leve troca de olhar e ela me disse:

— Você é louco, não é? Meu paciente... – brincou.

— O que importa é que você gostou e me parece feliz – disse, tentando confortá-la de qualquer rasgo de imoralidade ou promiscuidade que passasse pela sua cabeça. A experiência, intensa e sensual, não parecia ter nos afastado.

De volta ao interior do *palazzo*, circulamos um pouco até perto da recepção. Suzie provou algumas barras de chocolates finos que se encontravam expostos em fruteiras de cristal. Como era de esperar, devido à grandeza do lugar, nos perdemos na volta do *lounge* onde estávamos acomodados. Quando pensávamos em voltar para o hotel depois de algumas taças de vinho da Toscana, Piero apareceu e nos apresentou a um homem elegantemente vestido, sem fantasia, trajando um terno ocidental. Via-se pela sua aparência que não se tratava de um convidado comum.

O homem apresentou-se em um inglês bastante carregado no "r" gutural, identificando-se como mensageiro do *sheik* Rafás e perguntando se poderia deixar um convite para Suzie, que na festa ganhara o codinome Su.

– O *sheik* sente-se honrado em convidá-la para assistir a um vídeo sobre sua cidade e tomar um drinque árabe feito do óleo de tâmaras do deserto – completou o mensageiro.

Piero nos explicou que, por causa de suas doações, o *sheik* tinha direito a essa pequena regalia. Era um convite exclusivo, feito para apenas cinco mulheres na festa. Elas deveriam agradecer sua generosidade comparecendo aos seus aposentos, onde ele seria, como sempre, extremamente generoso.

Eu fiquei de fato surpreso, e Suzie, mais ainda. Nos perguntamos por que, entre tantas mulheres lindíssimas, ele a havia convidado, embora fosse uma mulher extremamente atraente. Não deixei isso ferir meu orgulho e, com certa dose de desconfiança e ciúme, perguntei a Suzie:

– O que você acha?

– Não sei, quanto tempo dura a exibição? – perguntou para o mensageiro, que respondeu que não havia um tempo determinado: quando ela quisesse ir embora, ele mesmo a traria de volta. Suzie perguntou onde era o encontro.

— É aqui mesmo no castelo — respondeu o mensageiro —, porém a entrada é por fora. Os aposentos ficam na cobertura, têm uma vista lindíssima. É possível ver os canais, com seu tráfego intenso de gondoleiros e, ao longe, a Praça São Marco.

— Você tem mesmo certeza de que consigo voltar a qualquer momento, se quiser?

Todas aquelas perguntas sinalizavam a curiosidade de Suzie a respeito do convite do *sheik*. Como eu mesmo a havia introduzido àquele universo, não me pareceu coerente tentar impedi-la de desfrutar a experiência. Além disso, eu estava empenhado em satisfazê-la: se aquela era a sua vontade, ela devia segui-la.

Nos despedimos e, alguns minutos depois, outro cavalheiro apareceu e entregou-me um cartão com o número de um celular, explicando que era para o caso de eu precisar falar com Suzie urgentemente. Isso porque uma das exigências do convite era que as mulheres não poderiam estar com celulares, para garantir a segurança e a privacidade do *sheik*. Isso não havia sido mencionado no primeiro momento, mas desde o início tínhamos nos sentido seguros, devido às excelentes recomendações de Piero, organizador, anfitrião e coordenador de todo aquele evento.

SUZIE

— Siga-me — ordenou o mensageiro do *sheik*.

Troquei apenas um olhar com Rick e segui obedientemente. Percebi sua tremenda curiosidade a respeito de tudo aquilo, mas ele não era o protagonista daquela experiência.

A escada que subimos era sinuosa e, ao chegarmos ao topo, um enorme salão descortinou-se à nossa frente. Enormes tapetes persas, presos às paredes e ilustrando histórias de *As mil e uma noites*, brilhavam ao ritmo das chamas dos lindos candelabros espalhados por todo o ambiente.

Nós, as convidadas, nos encontramos numa antessala onde gueixas trocavam nossas roupas por tecidos leves, presos por pequenas amarras de cintas. Algumas delas ainda nos trouxeram uma bandeja com diversos perfumes em mínimos frascos, dizendo serem os preferidos do *sheik*, mas sem impor que usássemos. Percebi que algumas das fragrâncias eram Chanel e Givenchy. Acabei passando um pouco, não para agradar ao *sheik*, mas porque já havíamos saído do hotel fazia bastante tempo, e talvez meu perfume tivesse perdido o efeito. Refleti sobre o que estava fazendo e ri de mim mesma, será que o *sheik* já havia entrado na minha cabeça?

Ao voltarmos para o salão principal repleto de tapetes e almofadas, um misto de castelo árabe e japonês, nos acomodamos enquanto nos serviam um licor à base de tâmaras, cujo gosto tinha certa acidez, mas um final adocicado, uma espécie de agridoce inegavelmente saboroso. Em seguida, uma das gueixas bateu três palmas e anunciou a presença do *sheik*.

Ele estava impecavelmente bem vestido, com uma túnica branca como a neve, contrastando com um lindo lenço dourado que escorria por seus ombros, sem dobrar ao pescoço. Apregoado ao turbante que cobria a cabeça, via-se um enorme rubi, cujo cintilar demonstrava sem dúvida sua autenticidade. Uma pedra tão grande como não se via nem nos filmes de Hollywood.

Sua voz era extremamente suave e hospitaleira. Em um inglês londrino, nos deu boas-vindas e logo começou a comentar as imagens projetadas, que retratavam sua tribo e o castelo em que sua família morava. Disse esperar que um dia qualquer visitássemos seu lar – se não todas, alguma de nós que tivesse interesse em conhecer sua cultura. Percebemos tratar-se de um convite apenas de gentileza, mas soou muito bem para as mulheres ali presentes. Ele, sem dúvida, pelo seu ar polido, exótico e enigmático, era um homem muito atraente.

Até então, estavam sendo tocadas músicas tipicamente árabes, porém, de repente, o som passou para um estilo japonês. Dois samurais entraram empunhando suas enormes espadas e escolheram uma das mulheres para se deitar em uma maca aveludada. Uma das gueixas apoiou uma maçã em seu ventre e outra em sua testa, e os dois samurais retiraram de suas bainhas enormes sabres. Após algumas coreografias dançantes, colocaram-se diante da mulher escolhida.

Ela era uma norueguesa extrovertida, mas, por um momento, senti sua tensão diante daquela exibição. Como imaginávamos, os dois levantaram as espadas sobre as costas e em um só golpe cortaram as maçãs, sem deixar qualquer marca na testa ou no abdômen da norueguesa. Lisa, como soube depois se chamar, levantou-se com a ajuda dos samurais, que, em um sinal de gentileza, agradeceram-na e viraram-se para o *sheik*, curvando-se num gesto de cumprimento e saindo do salão.

Em seguida, músicas mais animadas começaram a tocar. Todas nós nos levantamos enquanto bailarinas nos rodopiavam e, pouco a pouco, tiravam uma a uma as peças com as quais elas mesmas haviam nos adornado. Tiraram o longo tecido em que nos haviam enrolado para parecermos japonesas, as faixas que cobriam nossos seios à mostra e, por fim, o tecido que fazia as vezes de calcinha.

De repente, percebemos que havia uma nova atração: mulheres começavam a desfilar, em ritmo e sintonia claramente japoneses. A dança aos poucos deixou de ter movimentos leves e amplos, tornando-se pesada, numa sugestão de imobilidade. No chão, havia um amontoado de cordas, que elas tomaram nas mãos, simulando sua própria amarração. Me lembrando de um dos filmes que mais me haviam impressionado, O *império dos sentidos*, rapidamente entendi o que se passava ali: a dança representava o prazer obtido a partir do *shibari* – a técnica japonesa de *bondage* que havia ficado famosa em todo o Ocidente.

Àquela altura, em movimentos rítmicos e sensuais, as gueixas nos seguravam e nos amarravam uma a uma pelos pés e enrolavam as cordas, ao mesmo tempo fortes e suaves, por todo o nosso corpo. Juntavam nossos braços ao tronco e nos acariciavam com longos dedos macios cobertos de óleo.

Ao reflexo da luz dos candelabros, encontrava-me brilhante e indefesa. A gueixa que me imobilizou tinha o rosto todo maquiado de cera branca e lindos olhos negros com enormes cílios postiços. Parecia-me feita de porcelana. Esfregava seu corpo junto ao meu, de maneira provocativa e erótica. Seus dedos desciam até perto dos meus grandes lábios vaginais, mas sem tocá-los. Pouco a pouco, não sei se pelo efeito das tâmaras, senti uma sensação de relaxamento total, mesmo estando imobilizada. As luzes dos candelabros, como num truque de mágica, foram lentamente se apagando, a tal ponto que não percebi que somente eu restava naquele lugar.

A música era tão inebriante quanto o ritual *shibari* e o licor que eu havia tomado. Suavemente senti os dedos da gueixa passarem sobre as minhas pálpebras, como sugerindo que eu os fechasse. Por um impulso magnético os fechei. Estava em pé, mas apoiada diante de uma mesa alta sobre a qual poderia me curvar se assim desejasse. As mãos dela voltaram sobre a minha cabeça e lenta e suavemente escorregaram até os pés, passando pelas minhas costas e minha bunda, carregada de óleo entre as cordas.

Nesse exato momento, senti um enorme corpo quente juntar-se ao meu pelas costas. Seu cheiro perfumado de essências orientais fez vibrar todo o meu corpo. Percebi que era o *sheik* Rafás, que aproximou seu rosto do meu por trás do meu pescoço e gentilmente falou:

– Nada nesse mundo pode mover-se se você não quiser.

Tremi de emoção e tesão. Senti meu corpo comprimir-se mais forte entre o seu e a mesa, e me deixei relaxar sem pronunciar qualquer palavra.

Ele lentamente desatou meus braços, que estavam grudados sobre meu corpo, e colocou-os em cima da mesa, curvando-me como para me relaxar. Desatou também as cordas que prendiam minhas pernas uma junto à outra e, com uma de suas pernas entre as minhas, fez com que eu as afastasse, deixando-me totalmente rendida àquela sedução. Percebi, depois de suaves toques de suas mãos em meus cabelos e o corpo agora mais comprimido sobre o meu, que meu primeiro suspiro de tesão era a senha para ele me penetrar.

Difícil descrever. Seu pau entrou tão deslizante dentro de mim. Não me lembro de outro momento em que tive tamanha excitação. Morri de amor.

RICK

Terminei mais um drinque quando Suzie chegou. Estava no *lobby* do castelo, rodeado de outros casais que falavam sem parar. Tinham se conhecido havia pouco e estavam ávidos para trocar ideias e conhecimentos sobre suas experiências naquele mundo secreto que habitavam. Ansioso pela volta de Suzie, sentia-me impaciente e desinteressado ao ouvir a conversa alheia. Ao se aproximar, ela estava um pouco enigmática. Tentei ler seus pensamentos e confesso ter me preocupado com a chance de algo não ter corrido bem. Eu não queria afastá-la; consegui me controlar para não perguntar afobadamente o que havia acontecido. Minha vontade era poder cirurgicamente fazê-la contar, sem que fosse preciso perguntar ou demonstrar qualquer sentimento de minha parte.

Enquanto a observava, reparei, tentando disfarçar, que seu cabelo, antes imaculadamente bem cuidado, estava salpicado de brilho, como se partículas de lantejoulas tivessem caído nos fios em certa desordem. Sem nada dizer, Suzie levou a mão à linda gargantilha de veludo negro, cravejada com algumas pedras de rubi e pequeninos diamantes, bem colocada em seu pescoço. Era um gesto para chamar a minha atenção. Sem dúvida, tratava-se de uma joia preciosa, com caprichado esmero em sua confecção.

– Oi, Rick – disse ela de forma reticente.

– Oi, garota, foi legal? Você está bem? Gostou da recepção do *sheik*?

Eu não estava controlado como imaginava. Sem querer a bombardeei de perguntas, mas tentei fazê-la entender que meu maior desejo era que ela tivesse gostado daquele momento. Suzie narrou o que acontecera no evento com um riso nervoso, como se temesse que eu não pudesse entender o que ela tinha vivido. Depois de ouvi-la contar sobre as gueixas, tentei tranquilizá-la, dizendo que não importava o que havia acontecido, mas sim que ela tivesse curtido e aproveitado.

Preparei o território para que ela se sentisse segura em falar o que aconteceu. Eu estava ansioso para saber, e aos poucos ela foi relatando o desenrolar da noite até o momento final, em que transou com o anfitrião. Controlando as emoções e a respiração, perguntei se ela tinha gozado. Suzie balançou discretamente a cabeça, sinalizando uma resposta afirmativa. Deus, senti como se uma enorme caçamba de areia caísse sobre mim, mas me controlei o máximo para não demonstrar.

Era o jogo que eu mesmo havia armado. Tudo, absolutamente tudo, estava de acordo com o que eu havia aprontado. Aceitar aquela informação com naturalidade fazia parte também da estratégia de não a perder. Era tudo o que eu poderia oferecer a Suzie. Os cinco anos que me restavam eram complementos de minha vida final. Para ela, os mesmos cinco anos poderiam servir como passagem para um novo projeto de família, filhos e amizades mais duradouras. Eu jamais poderia propiciar-lhe tais sonhos. Meu objetivo era oferecer-lhe experiências. Se tudo saísse como eu esperava, Suzie associaria à minha memória uma nova forma de viver o seu prazer e o seu corpo – enquanto ela vivesse, eu estaria vivo.

Se esse era o meu desejo, restava-me aceitar e definir meu desapego em relação ao que estava acontecendo, para que não lhe transmitisse cobranças ou ciúmes – ou eu correria o risco de perdê-la pelo resto da pouca vida que me restava. Eu a admirava e gostava de fazê-la feliz, ainda que por caminhos tortuosos. Aos poucos eu ia ganhando poder e força para entender que, quando se ama, mais importante que a fidelidade sexual, a convivência constante ou mesmo o compartilhamento da vida financeira é saber que seremos eternamente cúmplices de uma experiência de vida onde só uma lei há de vigorar: doar-se. Esse é o segredo, a palavra mágica que nos faz existir na vida e no amor dos outros.

Percebendo a minha descontração, Suzie foi também relaxando. Quando ela terminou de relatar sua aventura sexual, elogiei a gargantilha, que lhe realçava a beleza radiante. Ela me abraçou e senti que era hora de voltarmos para o nosso quarto no hotel, onde estaríamos juntos e a sós.

CAPÍTULO 8

RICK

Quando voltamos a Nova York, eu sentia que cada dia da viagem havia feito a nossa intimidade crescer. Eu estava completamente entregue a Suzie; procurava entendê-la nos mínimos detalhes para não correr o risco de que minhas atitudes a afastassem. Ela se revelava enamorada, mas se deixava conhecer aos poucos. Como a cidade de Veneza, Suzie demandava serenidade e persistência. Era preciso deixar-se perder por vielas surpreendentes e encantadoras; lenta e sem ansiedade, a compreensão do todo aos poucos se compunha.

Uma das coisas que passei a admirar era seu jeito de ser, ao mesmo tempo, sonhadora e pragmática. Nas nossas conversas sobre coisas que gostaríamos de fazer no futuro, ela sempre se permitia imaginar vivendo novas experiências, tendo novos prazeres, desbravando novos mundos. Nunca deixava de se preocupar, porém, com sua vida profissional, os seus pacientes – a base sólida que estava criando para si em sua cidade natal.

Na verdade, Suzie tinha um jeito muito bonito de se entregar sem deixar de respeitar a si própria. Como depois me contou, ela nunca havia imaginado viver nada parecido com a festa em Veneza – mas, se aquela noite havia expandido os limites de seu mundo, nada do que fizera ali parecia ter mudado o que esperava da vida e do futuro.

De volta à rotina, eu sentia necessidade de estarmos todos os dias juntos. Mas ainda não estava certo de qual seria o ritmo ideal para ela, então tentei relaxar, deixando que ela determinasse a frequência de nossos encontros. Alguns dias se passaram sem que ela fizesse menção a nos vermos. Eu já estava imaginando como poderia fazer um convite que parecesse despretensioso, quando, no sábado de manhã, ela me mandou uma mensagem: "Bom dia, Rick. Tem um restaurante francês em Greenwich Village que estou louca para conhecer. Você está livre para o almoço?".

O restaurante era aconchegante, e a comida, deliciosa. Com o nosso desejo de estarmos juntos, acabamos passando ali algumas horas, pedindo diversas entradas, tomando deliciosos vinhos. Suzie definitivamente apreciava a boa comida – mais um dos prazeres que compartilhávamos.

Saímos caminhando em direção ao Washington Square Park, onde acabamos por nos deixar ficar. O sol estava quente, anunciando a proximidade da primavera. Crianças corriam em volta da fonte, adolescentes namoravam nos bancos, pequenas famílias faziam piquenique na grama, casais maduros liam recostados às arvores. Falávamos sobre a cidade e suas incríveis surpresas – como era bom viver em Nova York e aproveitar tudo o que ela podia oferecer! Eu me sentia feliz, quase conseguia esquecer que em alguns anos estaria me despedindo de tudo aquilo.

Suzie aproveitou o momento para perguntar sobre mim:

– Então, Rick, aquele mundo que vivemos em Veneza não é bem uma novidade para você, não é mesmo?

– Por que você diz isso?

– Você me pareceu bem à vontade, experiente, como quem realmente apresenta algo para outra pessoa.

– Sim, eu entendo que tenha parecido isso mesmo. E tenho um interesse já antigo por esse universo liberal. Conheço algumas pessoas que estão nisso há alguns anos, então fui entendendo um pouco como funciona. Mas a verdade é que só agora me permiti conhecer de fato – Suzie pareceu surpresa, então preferi ser sincero. – Sim, foi também a minha primeira vez.

– Eu jamais poderia imaginar, Rick. Mas posso dizer que admiro você se abrir para essas experiências numa altura da vida em que poucas pessoas têm disposição para novidades e mudanças.

– Sim, às vezes até eu me surpreendo, por causa do meu sangue italiano e dos costumes tremendamente conservadores em que fui criado. Meu casamento com Sharon não teve nenhuma dessas novidades, mas foi sempre marcado por independência e desapego, despertando o estranhamento de outros casais de nossas relações.

— Sangue italiano? De que região da Itália vem a sua família?

— Os Benelli vêm de várias regiões da Itália. Meus pais saíram de Nápoles, mas tínhamos também primos que foram de San Paolo, na Bréscia, para o Brasil. Diz-se até que um parente do meu pai tinha ligações com Al Capone.

— É sério, Rick? Que curioso! Mas a família se estabeleceu inicialmente em Chicago?

— Não, só essa pessoa. Meus pais, antes de vir para Manhattan, foram morar numa cidadezinha nos arredores da Filadélfia. Nossa família é toda de imigrantes católicos e, no dia em que nasci, meu pai foi à igreja dizer que o novo rebento receberia o nome de Riccardo Benelli. O padre, irlandês e rabugento, era também imigrante e da ortodoxia apostólica romana, e não permitiu. "Oh, Fabricio, não existe Riccardo aqui nos Estados Unidos", ele disse ao meu pai. "Teu menino tem que se chamar Richard Benelli. Assim será melhor para vocês, imigrantes, que aos poucos devem fincar seus laços definitivos no sonho americano abraçando a nova cultura e adotando novos hábitos" – eu contava tudo aquilo com receio de entediar Suzie, mas ela parecia interessada em conhecer minhas origens. Então, continuei:

— Você sabe também o que é crescer em uma família marcada por esses valores, não é, Suzie?

— Sim, e eu esperava que você fosse muito mais marcado por isso. Na minha geração já é mais comum as pessoas terem tendências mais liberais.

— Você não pode esquecer que vivi maio de 1968. Eu era ainda um pouco novo na altura, mas toda a libertação que aconteceu depois, as mudanças nos comportamentos das pessoas, a liberdade feminina proporcionada pela pílula anticoncepcional. Tudo isso, enfim, fez a cabeça da minha juventude.

Enquanto dizia tudo a isso a Suzie, pensava que, apesar da diferença de idade, ela também era fruto dessa independência intelectual, de uma nova época, em que o sexo com outro não era deslealdade. Por mais que ela tivesse se chateado com Harry, eu sabia que ela estava disposta a assumir que a exclusividade sexual não era sinônimo de lealdade – lealdade é o desejo inquebrantável de sempre querer o melhor para a pessoa amada. Existe, na verdade, uma linha tênue entre promiscuidade e amor. São formas de amar em que prevalecem sempre a verdade, a confiança e a consensualidade, quando o objetivo é sempre dar o melhor de nós. Muito distante de devassidão e libertinagem.

SUZIE

Rick não era como os homens imaturos que eu havia encontrado pelo caminho. Eu sentia que as nossas conversas eram sempre sobre assuntos importantes – ainda, é claro, que nossos encontros fossem divertidos e prazerosos. Ele se abria com uma franqueza que me levava a admirá-lo cada vez mais pelas experiências que buscava em sua vida.

Sentados naquele banco no Washington Square Park, falávamos honestamente sobre o que tínhamos vivido em

Veneza e sobre o significado daquilo para nós. A experiência do *swing*, que a vida toda eu tinha associado a certa dose de promiscuidade, agora me parecia uma manifestação de confiança e liberdade. Nunca havíamos falado sobre a existência de qualquer compromisso entre nós e, no entanto, eu me sentia ligada a Rick de um modo profundo, ao qual já não poderia renunciar.

Quando o sol se pôs, nossa conversa ainda passeava por esses temas. Eu me senti então confiante para lhe dizer que estava disposta a viver aquilo mais vezes. Para ser exata, eu não estava apenas disposta – eu realmente queria experimentar mais uma vez essa forma única de ser ao mesmo tempo livre e estar ligada a alguém.

– Fico contente, garota. Também quero repetir a experiência com você. Vou pensar em algo especial para fazermos juntos. Quem sabe uma nova viagem no próximo mês?

Nos despedimos, e Rick falou que no dia seguinte iria receber uma visita de seu filho, que estava de passagem por Nova York, e que gostaria de vê-lo, certamente para saber como ia a sua saúde.

CAPÍTULO 9

RICK

Meus filhos estavam bem próximos de mim nos últimos tempos. Se antes levavam pelo menos quinze dias para me procurar, eles agora me ligavam pelo menos uma vez por semana – às vezes até duas ou três. Tudo, suponho, por causa do diagnóstico: mesmo morando longe, Alice e Michael queriam de alguma forma se fazer presentes e demonstrar apoio. Algumas manifestações de carinho parecem ter o efeito inverso, infantilizando a pessoa que deveria se sentir querida. Eu me irritava nas poucas vezes em que eles me faziam sentir assim, mas procurava perdoá-los rapidamente, afinal, eram meus filhos e estavam bem-intencionados.

Fiquei feliz quando soube que, em passagem pela cidade, Michael poderia almoçar comigo naquela quarta-feira. Ele sugeriu o Napoli, um restaurante italiano no West Side que, famoso pela sua excelente comida napolitana, tinha sido ponto de encontro dos mafiosos no passado. Mas não era a história do lugar que lhe interessava:

ele estava hospedado ali perto, ignorando, aliás, minha permanente insistência para que se hospedasse em minha casa. Eu sabia que sua recusa, também permanente, tinha a ver com a vontade de preservar a privacidade de nós dois, já que em meu apartamento frequentemente havia convidados, que vinham para reuniões. Contrariado um pouco os costumes nova-iorquinos, eu gostava de criar certa intimidade nos assuntos profissionais, o que costumava cativar meus clientes. Desta vez, havia também Suzie, e eu suspeitava que Michael já soubesse da novidade.

Era muito difícil encontrá-lo, já que ele passava longas temporadas nos piores lugares do planeta: guerras, epidemias, desastres naturais – as situações mais complicadas demandavam a atuação de médicos como ele, que se deixam atrair pelo perigo e se movem por um desejo quase romântico de mudar o mundo. Por isso, eu nunca sabia o que esperar de sua aparência, e daquela vez não seria diferente, já que ele havia passado alguns meses na África. Quando apareceu na porta do restaurante onde eu já esperava por ele, me pareceu mais magro do que da última vez. Ele se aproximou, me deu um abraço forte e não disse nada. Não era o rapaz cheio de energia que eu estava habituado a ver.

– Então, Mike! Há quanto tempo não nos vemos?

– Há bastante tempo. Fiquei sete meses em acampamento. Acho que nos vimos um pouco antes da minha partida. Você me levou para jantar naquele lugar extravagante perto do Central Park, lembra?

O estilo de vida que ele tinha escolhido não podia ser mais diferente do meu. E Michael não perdia muitas oportunidades de me cutucar por causa disso. Decidi ignorar, até porque tinha boas lembranças daquele jantar. Naquele dia, ele estava à vontade e parecia ter realmente apreciado a minha companhia.

Michael quis logo saber como eu estava e pediu detalhes a respeito de minha condição. Perguntou sobre o diagnóstico, os sintomas, o médico. Ele se mostrava preocupado como um filho e atento como um médico. Assim, não demorou muito para que a conversa chegasse ao meu tratamento.

– Pai, você sabe que essa área é distante da minha atuação, mas tenho muitos contatos, inclusive de pessoas excelentes da faculdade que conhecem pessoas ainda mais excelentes em todo o país. Quero falar com elas para encontrarmos um outro caminho para você. Haverá um neurocirurgião disposto a operá-lo.

– Não há, Michael. Acredite em mim, fui muito cuidadoso ao escolher o dr. Steve e estou sendo realmente muito bem cuidado por ele. Se você quiser, depois mostro os exames; você verá com os próprios olhos e acabará concordando comigo.

– Sim, eu acredito que o dr. Steve seja um bom médico, mas pode haver outros melhores, e é sempre bom buscar outras opiniões.

– Já passei dessa fase, meu filho. Tenho muita confiança no meu médico, que está me dando todo o apoio para que eu viva bem este momento. Eu já tive dúvidas, já as respondi. O assunto "médicos" está encerrado para mim.

Embora gostasse de às vezes me provocar, meu filho me respeitava muito. Entendeu o que eu estava lhe dizendo e não insistiu. Apenas disse que gostaria, sim, de ver os exames. Procurei mudar de assunto rapidamente:

— E como foram esses últimos meses?

— Foram ótimos, pai. Estamos trabalhando no combate à malária, com tratamento, programa de vacinação... Em poucos meses estive em dezenas de locais. Vamos alcançar três países nessa iniciativa. — Enquanto dizia isso, ele se iluminava; agora eu reconhecia o garoto cheio de energia.

— Excelente. Imagino que seja um trabalho enorme realizar algo nesse sentido. — Eu não sabia exatamente o que dizer, mas queria incentivá-lo a me contar mais.

— Com certeza! Tem o contato com as autoridades, a aproximação com as comunidades... E estamos treinando os agentes de saúde que serão nossos parceiros. São centenas de pessoas. E é tudo muito complicado... Nessa região africana, o Sahel, o governo de muitos países tem bancado o tratamento. Mas, quando a malária se junta à desnutrição, é uma calamidade... Bem, e é preciso também vacinar para outras doenças. Enfim, é um trabalho gigantesco, você tem razão, mas estamos muito contentes com os resultados até agora.

— Fico contente, meu filho, por você e por todas as pessoas beneficiadas pelo seu trabalho. — Eu nunca tinha dito a Michael que sentia muito orgulho dele, mas ele pareceu entender que era isso o que eu estava tentando dizer.

Apenas sorriu e baixou a cabeça, passando o guardanapo na boca. Decidi prosseguir:

— E quando você volta para esse projeto?

— Não sei se volto. Supostamente irei para o Sudão do Sul, por causa de uma epidemia de cólera. Mas a verdade é que estamos com dificuldade para encontrar financiamento. Não sei o que vai acontecer.

Talvez fosse essa a razão para ele estar cabisbaixo. Já na infância Michael era um garoto sensível e compassivo. Bem, talvez ele estivesse também um pouco afetado pela minha condição, mas achei melhor afastar esse pensamento e investigar a outra hipótese:

— É muito importante esse projeto?

— Sim, porque a doença é muito fácil de tratar, mas as condições lá estão péssimas. Muitos conflitos, gente sem vacinação, problemas de saneamento. Daqui a pouco começa a estação de chuvas, e a tendência é só piorar.

— Puxa, Michael, sinto muito. Espero que vocês consigam o financiamento necessário.

— Também espero. Estamos investindo na captação de recursos, e estou pensando em aproveitar minha passagem por Nova York para buscar algumas fontes. Nesta altura as doações pequenas pouco ajudam, vou procurar algumas empresas. Se achar que algum dos seus clientes tem interesse na doação, você me avisa?

— Acho pouco provável, mas vou tentar pensar em alguém.

Michael agradeceu e voltou a se calar. Ele estava visivelmente preocupado com a situação. Depois de alguns segundos, sua expressão se animou, e ele me perguntou:

— Me conte mais sobre você, pai. Soube pela Alice que conheceu uma pessoa nova.

— É verdade, meu filho. Talvez você se lembre dela: Suzie, foi colega de sua irmã. Ela é psicóloga e, embora mais jovem, tem me dado muito apoio e ajudado a viver este momento da melhor maneira possível. Quem diria que justo agora eu seria capaz de me sentir feliz assim?

Nós não tínhamos o hábito de conversar muito abertamente sobre as nossas vidas privadas, e eu não planejava contar ao meu filho os detalhes da relação com Suzie, a redescoberta do amor e do prazer, a vivência de novas formas de amar... Ele fez algumas perguntas, que respondi discretamente, mas depois a conversa se encaminhou para outros assuntos.

Quando me despedi de Mike na porta do restaurante, eu estava contente, sentia que aquele tinha sido um dos melhores momentos que havia passado com meu filho em sua vida adulta. Ainda assim, fiquei com a sensação de que algo não se encerrara ali – alguma daquelas conversas nós ainda precisaríamos concluir.

II

Mais tarde, já em casa, eu me virava de um lado para outro na cama. Suzie não estava comigo aquela noite, então eu ruminava sozinho os meus pensamentos. Eu me lembrava da tristeza de Michael ao falar das pessoas que ele provavelmente não conseguiria ajudar e me perguntava se não poderia fazer algo por ele.

Repassei mentalmente minha carteira de clientes, tentando imaginar qual deles teria abertura para fazer uma doação vultosa, e dessa natureza. Alguns estavam habituados a doar recursos, mas por alguma razão me parecia que nenhum deles saberia valorizar aquela causa da maneira como ela merecia.

Só consegui dormir quando entendi o que eu mesmo estava tentando me dizer com toda aquela ansiedade para ajudar Michael: eu é que gostaria de ajudá-lo; caberia a mim fazer aquela doação.

Pela manhã, tratar disso seria a minha primeira tarefa.

III

Michael me ligou dali a dois dias. Por suas primeiras palavras já percebi que havia recuperado o entusiasmo.

– Pai, embarco esta noite para o Sudão do Sul. Aquele projeto vai acontecer – disse ele.

– Que ótima notícia, meu filho. Fico feliz por você!

– E por todos os outros também, certo? Nós todos agradecemos você.

– Como assim, Michael?

– Você achou que eu não saberia quem fez a doação? Assim que me ligaram para avisar que tínhamos os recursos, pedi para saber de onde vinham. Você foi muito generoso. Eu poderia até dizer impulsivo ou inconsequente!

– Não é nada disso. Entendi a importância desse trabalho e não quis deixar passar essa oportunidade de fazer o bem, para você e para o mundo. Quero que você seja feliz, meu filho, e que continue sendo esse rapaz que tanto me orgulha.

A conversa já estava tomando um rumo emotivo demais, algo que nós dois tentávamos sempre evitar. Michael agradeceu mais uma vez e desligou, dando-me tempo apenas de desejar boa viagem.

CAPÍTULO 10

RICK

Eu estava muito entediado na empresa quando o telefone tocou:

– Alô? – perguntou a voz do outro lado.

– Sim, quem fala? – pelo tom eu já sabia que era Suzie, com uma voz muito provocativa.

– Não reconhece mais minha voz, não?

– Sim, claro, garota! Estava apenas distraído e também esse não é seu horário habitual de me ligar, por isso não percebi logo. Você está bem?

– Sim, senti saudade e liguei.

– Que bom, como está tua vida, teu horário?

– Recebi o último paciente e estou livre.

– Vamos tomar um drinque no pub... ou quer passar lá em casa?

– Podemos fazer as duas coisas! – disse rindo.

– Com certeza! – concluí.

Fomos ao Garage, no Village, e estava tocando um delicioso *jazz*. A temperatura era bastante agradável naquele fim de tarde, e Suzie tirou seu suéter bege. Por baixo, vestia uma linda blusa clássica de seda com alguns desenhos dourados que combinavam com sua malha de primavera. Permitiu-se deixar dois botões abertos da camisa. Era possível ver o início de seus seios, que não eram muito grandes, nem franceses, como das coristas do Folie Bergère. Eram rígidos e discretos e claramente não haviam sofrido qualquer intervenção plástica.

Degustamos calmamente o Chardonnay, enquanto mantínhamos uma conversa bastante descontraída.

– Vamos falar dos seus namorados? – perguntei repentinamente.

– Por quê?

– Porque sim... Mas não é importante também.

Com expressão descontraída, falou:

– Ok, tudo bem! Primeiro foi Tom, quando eu estava na universidade e fazia parte da torcida do time de handebol. Depois foi Larry, que chamavam de pantera – comentou rindo.

– Como assim? – indaguei, confuso.

– As meninas diziam que ele era bem-dotado – ela riu.

– E era verdade? – perguntei provocativamente.

Ela riu e desconversou.

– Bem, houve mais, mas esses foram os mais marcantes. Os outros não foram tanto, apesar de terem feito parte de minha juventude. Quando me casei com Benne, tivemos cinco bons anos em que nos entrosávamos muito, mas com o passar dos tempos ele não me procurava mais. Muitas vezes, nos fins de semana, eu passava a noite em casa esperando por ele, que não dava notícias e só chegava de madrugada, como se propositadamente não me deixasse espaço para um *happy hour* com minhas amigas. Vivemos mais três anos juntos, mas muito turbulentos. Ele me culpava por não engravidar, como se eu fosse responsável, sendo que, na verdade, quando parei de tomar anticoncepcional, nas raras vezes em que fazíamos amor eu estava fora do período fértil.

Tomamos mais duas taças de vinho e fomos para meu apartamento. Claudia, uma colombiana que cuidava da casa, já havia saído, e ficamos totalmente a sós pela sala. Emprestei a Suzie uma camisa polo, ela despiu sua roupa de trabalho e ficou à vontade pelos cômodos da casa.

Nos sentamos no sofá e nos tocamos levemente. Passei a mão por baixo da camisa, que estava grande em seu corpo, chegando quase ao joelho. Subi a mão pelo lado posterior das coxas e notei que estava sem calcinha. Amassei seu bumbum com certa firmeza e ela contorceu-se com o corpo mais ereto quando voltei a mão entre as suas pernas até sentir sua virilha, pousando suavemente meu dedo mindinho em seus lábios vaginais.

Nossas bocas se encontraram em um beijo ardente de paixão e, chupando sua língua, virei-a bruscamente de costas. Levantei a camisa até a cintura, puxei para perto de mim sua bundinha ainda com marcas do biquíni do sol de Hampton Beach e cravei o meu caralho duro de tesão.

Ela pedia que fosse forte e contínuo, mas eu tinha vontade de tapeá-la com as palmas das mãos, como se estivesse com raiva das trepadas que tinha dado no passado com seus namorados ou parceiros. Aquela conversa tinha agido como ingrediente picante e provocador, nos deixando muito excitados. Ela, por narrar suas fodas, e eu, por ouvi-las como se não me importasse. Mas tudo aquilo fazia parte de um quadro erótico: agora nos entregávamos a um desejo carnal sem igual. Descobrimos que as cenas de filmes ou até pornôs, assim como os desenhos do Kama Sutra, não chegavam nem perto das nossas sensações.

III

Na manhã seguinte, Suzie levantou-se e saiu cedo, pois tinha um paciente para atender. Meus compromissos começariam apenas algumas horas depois, mas minha intenção era, mesmo assim, acompanhá-la. Sempre carinhosa, Suzie disse, com um ar também um pouco maroto:

— Não se preocupe, fique mais um tempo em casa. Depois da noite passada, você merece um descanso...

Foi inevitável usar esse tempo livre para ruminar lembranças e sentimentos. Eu ora pensava em tudo o que ela me contava a respeito de seus relacionamentos e de sua maneira de ver os homens, ora me deixava invadir por *flashes* de nossa viagem à Itália, alternados com fantasias que eu mesmo havia elaborado a partir dos detalhes que Suzie me havia relatado de seu encontro com o *sheik*.

Eu percebia que ela havia aceitado o jogo do amor, mas isso não me trazia apenas segurança. Por alguma razão – talvez a intensidade com que ela vivia todos aqueles momentos –, eu tinha dúvidas e hesitações. Devia realmente me entregar dessa maneira a uma mulher tão cheia de vida, num momento em que a morte batia à minha porta? Era hora de me resguardar ou de abraçar sem medo tudo o que ela me oferecia? Seria melhor prosseguir com Suzie ou continuar sozinho?

Não havia meio de verificar qual a melhor decisão, pois eu não tinha tempo nem parâmetros para comparações. Tudo é vivido pela primeira vez e sem preparação. Como se um ator entrasse em cena sem nunca ter ensaiado. Mas o que pode valer a vida, se o primeiro ensaio é a própria vida? É isso que faz com que a vida pareça sempre um esboço. No entanto, mesmo esboço não é a palavra certa, porque um esboço é sempre um projeto de alguma coisa, a preparação de um quadro, ao passo que as nossas vidas seriam esboço do quê? De nada: um esboço sem quadro...

Meu próprio raciocínio me fazia ver que eu não poderia renunciar a nenhum momento de vida. Seria como não ter nunca vivido. Rapidamente passei a acreditar que seria melhor ter amado e perdido do que jamais ter amado.

Mas eu estaria preparado para dar sempre o melhor de mim? O retorno de gratificação me fazia muito feliz. Seria suficiente para Suzie? Sentia-me transbordado de amor;

enquanto eu ia conhecendo seu passado, crescia cada vez mais meu desejo de partilhar seu presente. Quando duas pessoas maduras estão apaixonadas, realiza-se então um dos fenômenos mais esplêndidos da vida. Fundem-se uma à outra como se fossem um só; e, contudo, sua união não deve destruir suas individualidades. Eu seria capaz de respeitar esse limite, evitando me transformar totalmente em Suzie?

Eu estava aprendendo um novo modo de amar... Seria capaz de suportar as dores da alma quando estivéssemos distantes? Eu ficava excitado só de pensar na curiosa assimetria de nossos corpos vivendo contatos independentes: ainda assim, não era fácil saber que no fim de semana ela poderia estar em Hampton Beach com seus amigos.

Eu tinha uma viagem programada com investidores do mercado financeiro que transitavam na órbita dos meus negócios. Poderia até levá-la, mas acreditava que poderia aborrecê-la com compromissos tão formais e pessoas tão distantes de nosso mundo existencial.

Não – pensei eu. Fica para outra vez. Espantei pensamentos e hesitações e entrei no banho, preparando-me para mais um dia de negócios.

CAPÍTULO 11

RICK

Na semana seguinte viajei a Los Angeles e, como seria rápido, não convidei Suzie para ir comigo. Além do mais, eu não queria dar impressão de sufocamento. Gostaria de deixá-la livre, embora não fosse isso que meu coração ditava.

Eu sabia que ela estaria com alguns amigos e não gostaria de colocá-la em xeque entre mim e sua turma. As mulheres não gostam de ser pressionadas. Às vezes até suportam quando existe certa dependência material ou emocional, mas esse não era o caso da Suzie. Ela era extremamente independente e resolvida. As amarguras ou devaneios do amor todos nós temos, mas isso não nos isenta de agirmos racionalmente quando exercemos nosso senso de maturidade.

Cheguei tarde a Los Angeles e logo me deitei, afetado pelo *jet lag* e cansado de um voo extremamente desagradável, com turbulências em quase todo o percurso. Para completar o meu estado de tensão, os propósitos de minha viagem também me deixavam ansioso: eu estava ali para fechar um negócio bilionário e nada, absolutamente nada, poderia sair do planejado.

O dia seguinte correu ligeiro e exato. Eu estava conseguindo conciliar as expectativas dos clientes de modo bastante razoável, e tudo levava a crer que a viagem cumpriria seus objetivos de forma primorosa. Cheguei tarde da noite do jantar de negócios, sem ainda ter tido tempo para as mensagens no meu celular. Queria escrever urgentemente para Suzie, convidando-a para assistir ao show de Michael Bublé em Los Angeles, um cantor de quem ela gostava e que certamente adoraria ver ao vivo. Poderíamos comemorar as minhas negociações curtindo juntos algumas noites na Califórnia.

O voo na sexta-feira seria logo cedo, dando tempo de reservarmos dois ingressos já para aquela noite no Teatro Municipal de Los Angeles. Estava ansioso para vê-la. No hotel, comecei a me sentir um pouco triste, sem saber objetivamente o que estaria causando aquele mal-estar, mas de súbito entendi que era a maldita doença que me atormentava no inconsciente.

Como de costume, procurei ignorar o mal-estar e, apesar de termos um pacto silencioso de não invadir a privacidade um ao outro, resolvi telefonar. As mensagens são mais confortáveis e discretas e podemos respondê-las no momento oportuno. Mas eu tinha a expectativa de que Suzie atenuasse aquela dor. Sem me dar conta da minha insistência, fiz duas sucessivas ligações sem que ela respondesse. O meu mal-estar só cresceu. Lembrei-me então da mensagem que eu lhe havia enviado na hora do almoço e que ainda estava sem resposta. Comecei a imaginar que ela estava com outra pessoa e, por isso, não queria me atender. Fui tomado por um sentimento estranho, como se eu fosse um chato a atazanar sua vida jovial. Nessa altura, meus pensamentos eram irreversíveis: senti-me só, triste e abandonado e, o pior, miseravelmente invasivo, o que não me permitia ser.

Fiquei olhando para o telefone toda a noite e, apesar de ter feito várias ligações, ainda não havia recebido nenhuma notícia dela. Tentei adormecer, mas os esforços para pegar no sono eram inúteis. Possesso, tomei a decisão que me parecia à altura da situação: bloqueei seu número para não me frustrar com seu desamor em não dispensar um mínimo de atenção. Assim seria melhor para mim e para o meu coração. Eu pensava na jovialidade de Suzie, em tudo o que ela poderia viver sem mim, e tinha cada vez mais certeza de que aquilo não poderia acontecer. Além do mais, apegar-me àquele relacionamento impossível talvez acelerasse meu aneurisma. Entre o racional e o emocional, é preciso ter cuidado para qual lado pender. Esses dois circuitos neurológicos de nossa mente que vivem dentro de nós operam a maior parte do tempo em perfeita harmonia, entrelaçando seus modos de conhecimento, para que nos orientemos na vida. Os resultados de deixar que a mente emocional assuma o comando são imprevisíveis.

Então, usei minha intuição, mesmo que doesse na própria carne. Aprendi que ela assume uma posição arbitral, isenta de paixões, mesmo estando nossa mente inundada de seduções. A intuição parece agir como um anjo da guarda, porém atentar a seus sinais exige a meditação de um guru e a serenidade de um monge. Este é o segredo de nos protegermos dos devaneios e ilusões que a vida nos apresenta.

No dia seguinte, eu já não tinha a mesma disposição para os encontros com os clientes. Os resultados não foram conforme o esperado, mas também não se podia dizer que eu estava em desvantagem. Apesar do meu cansaço e da minha irritação, as coisas correram razoavelmente bem.

De volta ao hotel no fim da tarde, abri minha caixa de e-mails, onde encontrei uma mensagem de Suzie:

Perdi seu contato pelo telefone, onde está? Fiquei chateada com nosso desencontro virtual. Só me resta aguardar sua volta para nos vermos.

Aguardo sinal de fumaça rssss

Suzie

Minha vontade era de sequer voltar a ter contato com Suzie. No entanto, preferi explicar objetivamente o porquê do meu silêncio. Escrevi:

Pensei que o nosso pacto valeria para não permitir "desencontros virtuais".

Sei, também, que você preferiu me poupar de DRs ou, talvez, do inconveniente de trocar informações em um momento na presença de terceiros.

Mas, talvez, um "alô, depois te ligo" fosse suficiente para não ter me sentido tão miseravelmente inconveniente. Tudo o que jamais quis ser para você.

Mas, como falei outras vezes, você deve e tem todo o direito, neste momento renascente e jovem de sua vida, de esgotar e viver todos os caminhos que te levem à felicidade.

Adoro você

Bj

Rick

Ela devia estar on-line, pois de pronto respondeu:

Estou entendendo agora. Estamos diante de um equívoco. Não houve isso, querido, nem DRs, nem nada. Na hora do almoço estive com meu analista, e creio que dentro do consultório fugiu o sinal e não houve registro algum. À noite cheguei extremamente esbaforida e com uma enorme dor de cabeça. Tomei um remédio e desmaiei na cama. No dia seguinte, quarta, verifiquei no celular se havia registro de ligação e somente mais tarde acionei você.

Uma pena, fiquei triste porque não vi a tempo. Adoraria quebrar minha rotina.

Jamais quero que ache que foi inconveniente, temos intimidade suficiente e sintonia para sempre nos querermos bem. A sinceridade é o primeiro "mandamento"!

E, outra, nos damos tão bem que achei muito estranho você chegar a imaginar que eu bloquearia seu contato.

Adoro você

Bj

Suzie

Eu sentia que Suzie estava sendo sincera, o que me fez ver o ridículo da situação. Eu, que sempre temia ser possessivo, acabara me deixando levar pela sensação de solidão, criando fantasias terríveis na minha própria cabeça. Decidi mudar o tom dos meus e-mails:

Oi

Sua resposta resumiu tudo o que envolve nosso inusitado, inigualável e despretensioso relacionamento. Realmente não deveria sobrar espaço para outro tipo de comportamento.

Espero que não pense que tais reflexões da minha parte haviam sido motivadas por ciúme, posse ou muito menos qualquer tipo de cobrança.

Quero-a do jeito que é, sem tirar nem botar nada; angelical e uma devassa na cama; uma linda profissional e uma jovem ardente para viver e para amar.

Posso dizer que os equívocos constituem parte de nossa natureza, por fraqueza ou por passionalidade inconsciente ou simplesmente porque somos humanos.

Tal episódio, confesso, me deixou extremamente constrangido em falar o que verdadeiramente senti. Já não tenho grande espaço de tempo para guardar no coração metástases fantasiosas que me levem à melancolia.

Não quero e não posso macular esse relacionamento com gestos ou pensamentos.

Acredito em você.

No mais, só Deus sabe o que o destino nos reserva. Amar ou deixar-se amar, ser amante ou ser cuidado, ser eterno cúmplice ou estranho, usar ou ser usado – mas nunca viver por viver.

Bj

Rick

 O melhor mesmo era que eu fosse sincero, admitindo meu erro e sendo verdadeiro em relação aos meus sentimentos. Confesso que naquele momento pensei também em Suzie como profissional. Ela já deveria ter visto alguns homens em momentos de fragilidade e provavelmente entendia o que me passara pela cabeça. Talvez por isso conseguisse ser tão compreensiva e carinhosa em suas mensagens, como na que veio a seguir:

Perfeitamente, qualquer tipo de interpretação diferente não seria justo conosco. Nosso relacionamento tem como base o carinho mútuo e uma cumplicidade incomparável.

Jamais cheguei a pensar coisas do tipo, nem se preocupe.

Adorei saber que eu represento algo para você e que tenho um lugarzinho no seu coração. Tenho sorte em ter um amigo, um cúmplice, um companheiro e um amante na mesma pessoa.

Espero que já esteja longe de sua cabeça o sentimento de ter sido "miseravelmente inconveniente".

Fica nosso pacto em falar tudo! Saudades

Suzie

A mensagem dela era a prova de que abrir meus sentimentos e pensamentos era a decisão acertada. Faltava agora demonstrar a minha admiração.

Não sei se lhe chamo de bruxa ou de Simone de Beauvoir.

Bruxa pela presença de várias pessoas numa só, em diversas formas de amar. Simone, pelo estilo na expressão dos sentimentos que até a Sartre surpreenderia.

Como tem sido fascinante navegar em tua cabeça e mente! Cada dia me surpreendo mais: seu jeito meigo e silencioso esconde uma mulher inteligente e forte, consciente de todo o universo que lhe rodeia.

Pouco adianta disfarçar: quem teve a ilusão de se acreditar criador tem agora a certeza de que a criatura tornou-se maior. Muito maior. Isso já era latente e adormecido, hoje explode como um vulcão. Poucos têm a dimensão do que pode acontecer amanhã.

Só sei que, como você, menina, eu também sou um cara de sorte, mesmo a conhecendo apenas agora, nesta etapa da vida.

RICK

Não me lembrava de outro momento em que tivesse declarado tão abertamente a minha admiração por alguém. Pensando bem, eu talvez nunca tivesse tido aquela admiração por ninguém.

Pouco tempo depois, a resposta de Suzie fez soar o alerta de meu computador:

Chego a me sentir lisonjeada com tantas hipérboles em suas palavras. Posso dizer que o tenho admirado muito mais a cada descoberta feita nesses últimos tempos.

O desenho pode ser rabiscado, mas a essência é verdadeira. Estamos descobrindo muita coisa juntos – algumas com reticências, outras via osmose, muitas em parceria, algumas poucas remodeladas e ainda outras destinadas.

Que melhor leitura da "bruxa" ou da Simone alguém poderia fazer? Fico feliz por ter o afeto e o companheirismo de um homem que nelas vê a transmissão e a prática do bem.

Grata

Beeeeijo

Suzie

Enternecido de emoção, li e reli aqueles e-mails várias vezes e comecei a acreditar que existe amor sem sexo, como existe carinho sem troca; que existe sexo fora do relacionamento sem deslealdade e que verdadeiramente o amor existe em 50 formas de fazê-lo.

CAPÍTULO 12

RICK

Suzie estava linda no aeroporto. Usando um longo vestido florido e os cabelos presos em uma trança, ela me recebeu com um sorriso largo e luminoso. Não tinha o costume de me esperar, mas naquele dia iríamos direto para a praia. Depois de nosso desentendimento, ela havia sugerido passarmos o fim de semana em Hampton Beach. Aceitei de pronto: eu sabia que era seu lugar preferido para estar com as amigas e, levado pelos ciúmes, desejei sobrepor nossa presença nos lugares que ela curtia com outras pessoas. Como se quisesse apagar os registros anteriores de seu passado recente. Queria brigar com sua memória e ocupá-la de forma mais viva e recente. Não lhe dizia isso abertamente, mas talvez ela entendesse que meu inconsciente me levava a isso.

O voo chegou quase ao entardecer, e queríamos aproveitar o fim de semana sem perder um minuto sequer. Ela havia cuidado de tudo para que isso pudesse acontecer. Passara em meu apartamento para buscar calças e camisas mais leves, que Claudia havia separado. Providenciara o carro em que seguiríamos ao longo de quatro horas pela I-495. Suzie tinha também feito os preparativos para a hospedagem: ficaríamos no lado sul da praia, em um lindo condomínio para aluguéis de temporada, do lado oposto ao local onde ela e seus amigos tinham uma casa para fins de semana.

Eu planejava visitar os mesmos lugares por onde ela havia passado com Harry e suas paqueras eventuais. Pensava em preencher todos os espaços de sua memória.

SUZIE

Eu estava louca de tesão. Aqueles dias que Rick passara na Califórnia tinham me deixado com uma saudade louca, por incrível que pareça. Para completar, a resolução do pequeno desentendimento que havia rolado entre nós potencializava o meu desejo. Ao longo de todo o trajeto ensaiei tocá-lo, dar-lhe prazer mesmo com o carro em movimento. Cheguei a roçar delicadamente seu pênis, e ele respondeu com uma ereção instantânea. Mas ele estava dirigindo, e pensei que era melhor a gente se controlar.

Eu tinha muitos planos para o fim de semana, e o primeiro deles era certamente gastar alguns minutos dentro de casa. Rick provavelmente concordava, pois, após pegarmos as chaves e recebermos as orientações, sequer houve tempo de chegarmos ao quarto. Batemos a porta e juntos nos lançamos no sofá.

Com seus dedos hábeis ele fazia maravilhas. Penetrava em todos os pontos, deixando-me atordoada com um gozo delicioso. Seu pau entrava em mim com todo seu fogo e toda a sua ternura, dando-me sempre a impressão de que me possuía pela primeira vez. Eu tentava me controlar para que o orgasmo não viesse logo, mas eu estava excitada demais. Eu disse a Rick que não conseguia mais esperar: foi a chave para que ele, sem nada dizer, viesse também. Gozamos juntos e longamente.

Tomamos um delicioso banho, em que ele me fez sentir uma verdadeira rainha. Lavou-me o corpo todo, me massageando ao mesmo tempo em que passava o sabonete hidratante. Passou xampu nos meus cabelos, massageando também a minha cabeça e me levando assim ao relaxamento profundo. Depois de lavar meu sexo, ajoelhou-se e o beijou. Aos poucos, começou a me lamber. Eu ainda estava sensível do orgasmo de poucos minutos antes, então tive um misto de dor e prazer. Este ia se sobrepondo à medida que Rick fazia, com a língua, movimentos circulares em meu clitóris. Lentamente, sem qualquer indício de pressa e com toda a dedicação, ele me chupou até que eu atingisse o clímax – que veio profundo e vagaroso. Com os espasmos, consegui ficar em pé apenas porque ele me segurava.

Nossa primeira noite foi apenas o aperitivo do que viveríamos em Hampton Beach. Claro que houve tempo para caminhar ao sol, beber, dançar e frequentar os restaurantes da região. Mas a verdade é que fizemos amor loucamente. Na volta para Manhattan, domingo à noite, eu observava a estrada já escurecida e lembrava como havia me entregado em seus braços.

Eu estava feliz, muito feliz. Havíamos rompido uma barreira de cerimônias sentimentais e repetido muitas vezes como era bom nos amarmos. A cada momento com Rick eu descobria como me libertar de uma amarra, sentindo, desde Veneza, minha carne e meu coração despertarem, em êxtase.

Embora eu não fosse exatamente uma novata na minha vida sexual, com Rick descobria carícias raras e atingia volúpias impossíveis, de tão excitantes. Na noite de sábado, procurei expressar minha felicidade carnal chupando-o. Retirei seu corpo de dentro do meu e desci com a boca, beijando e mordiscando lentamente seu peito, sua barriga, seu umbigo. Suguei até sentir as primeiras gotas surgindo da ponta de seu membro. Senti um gemido e um grito. Um tremor intenso percorreu seu corpo e o meu, quando o vi gozar loucamente em cima do meu peito, da minha barriga. O esperma jorrou como eu queria, abundante e quente, e com as mãos espalhei por todo o meu corpo até a última gota, deixando Rick em completo estado de sublimação. Um misto de alma e carne movido pelas paixões mais intensas e misteriosas que seria possível atingir.

Cada feixe de luz lançado pelos carros na contramão acendia imagens em minha memória. Ao longo de toda a viagem, revivi em pensamentos o sonho das nossas loucuras. Eram inesquecíveis os gestos devassos gravados na minha memória. Frutos da resposta de um cérebro reptiliano, que tão bem Rick o fazia despertar. Dos homens que conheci na vida, poucos estimularam tanto esse meu lado animal. Como se pudesse ler minha mente, Rick permanecia em silêncio ao meu lado, respeitando minha introspecção.

Eu estava entregue às minhas sensações e sabia que não poderia contê-las. A alma não pode ter segredos que nosso comportamento não revele.

RICK

Voltando de nosso intenso fim de semana na praia, eu sorria em silêncio. Suzie era capaz de me surpreender a cada momento, entregando-se a toda forma de prazer que pudesse fazer parte do jogo do amor. Ela estava me deixando louco de paixão. Enquanto dirigia, eu me lembrava dos momentos fantásticos que ela havia nos proporcionado com as suas habilidades orais. Pensava também no sorriso doce e na voz delicada que sempre dirigia a mim. Ela me oferecia a experiência completa daquilo que eu poderia esperar de uma mulher.

Os ciúmes eram agora um sentimento distante. Ela havia me transmitido com segurança que eu era o homem mais importante de sua vida. Eu estava confiante, pensava em Harry como um minúsculo grão de pó flutuando distante de nossas órbitas.

A única coisa que eu poderia oferecer em troca era a intensidade dos curtos anos que me restavam. Dali em diante eu estaria sempre ao seu lado, proporcionando as experiências mais incríveis que ela teria em toda a sua vida. Em no máximo cinco anos ela teria que aprender a viver sem mim. Eu deixaria para ela não apenas lembranças: juntos estávamos para construir uma ideia nova do que deveria ser a vida – especialmente a vida em comum de duas pessoas que se amam e escolhem se comprometer um com o outro de forma assim tão profunda.

CAPÍTULO 13

RICK

Fazia muito tempo que Sharon e eu não nos encontrávamos pessoalmente. Aliás, não nos tínhamos visto depois do diagnóstico do dr. Steve. Quando eu caminhava em direção à galeria de arte onde estava sendo inaugurada a exposição de seus quadros, tentava imaginar qual seria a reação dela ao me ver. Ela me olharia de alto a baixo, procurando sinais físicos de doença? Tombaria a cabeça ligeiramente para a direita, naquele típico e abominável olhar de compaixão?

Muitas questões ocupavam a minha cabeça, embora, por sorte, eu tivesse sido poupado de um dilema importante: deveria convidar Suzie para o evento de minha ex-mulher? Eu gostaria da companhia dela, é claro, mas não sabia como nenhuma delas reagiria. Era provável que ambas se sentissem confortáveis, já que minha nova companheira não era ciumenta, e a anterior nunca tinha dado qualquer sinal de que ficaria incomodada ao ser apresentada a outra mulher. Mas, como Suzie tinha, naquela mesma noite, um jantar de sua associação profissional, não precisei me preocupar com isso.

Quando cheguei à pequena galeria no Chelsea onde estavam à mostra quase trinta quadros de Sharon, fiquei impressionado com a grande quantidade de convidados. A maior parte das pessoas eu nunca tinha visto. Mas encontrei também alguns amigos dos tempos antigos, com quem convivíamos bastante enquanto éramos um casal. Ellen e Morgan, que já eram namorados antes mesmo de Sharon e eu nos conhecermos, me receberam de forma muito afetuosa. Continuavam os mesmos: o casal mais bem casado que jamais conheci – ele, editor de um grande jornal nova-iorquino; ela, consultora de moda em uma loja de departamentos. Grace, também pintora, e Robert, especialista em fusões e aquisições, foram também muito atenciosos comigo, embora minha relação com ele tenha sido marcada por algumas rusgas, nas quais ela acabava sempre tomando parte.

Mas eu não pretendia passar muito tempo ali, então fui rapidamente em busca de Sharon, para cumprimentá-la. Ela falava animadamente com um homem de meia-idade, de careca lustrosa, cuja postura, entre arrogante e circunspecta, me fez acreditar que se tratava de um *marchand*. Ela interrompeu a conversa quando me aproximei:

– Olá, Richard. Como vai?

– Muito bem, Sharon, e você? Parabéns pela exposição. Ainda não consegui ver tudo, mas está lindíssima!

— Obrigada, meu querido. Aproveito para apresentá-lo ao responsável por tudo isto: Christian, meu *marchand*. — Virando-se para ele, completou: — Este é Richard, meu ex-marido.

— Muito prazer, Christian, e parabéns pelo excelente trabalho — eu disse.

— Imagine, o trabalho que realizo depende sempre da grandeza do artista. Hoje é Sharon que devemos festejar — e assim, com sua elegância polida, fez um sinal com a cabeça que indicava a sua retirada. — Com licença — murmurou, já ganhando distância.

— Você está ótimo, Richard. Parece inclusive com mais saúde e disposição do que da última vez que nos vimos. Foi ainda no fim do ano passado, não? — o diagnóstico estava pressuposto em sua fala, mas não de uma maneira que me incomodasse.

— Sim, Sharon, já faz muito tempo. Se estou assim como você diz, é porque, apesar de tudo, estou feliz — não quis fazer referência direta a Suzie, mas naturalmente minha ex-mulher compreendeu do que se tratava minha felicidade.

— Fico feliz por você, Richard. Depois de tudo o que vivemos juntos, não posso senão desejar a sua felicidade. É uma pena que Suzie não tenha vindo.

— Sim, é uma pena, mas estou certo de que ela virá conhecer seus quadros em outra oportunidade — eu tinha certeza, mesmo, ainda que sob efeito da abordagem tão direta de Sharon. — Também desejo a sua felicidade, e sei que hoje é um dia muito importante para você. Não vou mais ocupá-la, há muitas pessoas esperando para saudar a artista. E quero também ainda passear pela exposição.

Depois de nos despedirmos, tentei dar uma volta pela galeria, mas eu sabia que, com aquela quantidade de convidados, seria difícil apreciar realmente os quadros. Eu tinha, porém, um objetivo: voltar a falar com Christian. Quando finalmente consegui encontrá-lo, peguei seu número de telefone, prometendo telefonar no dia seguinte.

II

Logo pela manhã entrei em contato com o *marchand* de minha ex-mulher.

— Bom dia, Christian, aqui é Richard, ex-marido de Sharon — eu disse, assim que ouvi sua voz do outro lado da linha.

— Bom dia, Richard, como posso ajudá-lo?

— Em primeiro lugar, com a sua discrição. Eu gostaria de adquirir alguns quadros da Sharon, mas sem ela saber que eu sou o comprador.

— Sim, entendo, podemos manter a transação no anonimato. Mas o que você pretende fazer com as peças depois de terminada a exibição?

— Isso não será problema. Mandarei para você a indicação de alguns museus na América Latina para onde os quadros deverão ser encaminhados. A arte de Sharon vem sendo bastante apreciada no Brasil e na Colômbia – era claro que ele sabia disso melhor do que eu, mas foi a forma que encontrei para me justificar.

– Sim, claro. Será preciso apenas que você me mande por escrito a identificação dos quadros que deseja adquirir, está bem?

– Ótimo, Christian, vou providenciar para que isso seja resolvido agora mesmo. Muito obrigado, principalmente pelo absoluto sigilo em relação à minha identidade como comprador.

– Não se preocupe, Richard. Estou habituado a esse tipo de transação.

Assim que desligamos, telefonei para a minha assistente na empresa, que cuidaria de todo o processo. Não era a primeira vez que, em sigilo, eu adquiria quadros de Sharon. Os detalhes burocráticos não seriam, por isso, um problema.

III

Cerca de duas semanas depois, recebi uma curiosa ligação de Alice. Em vez do habitual "olá, pai", que eu sempre ouvia depois do meu "alô, minha querida", ela falou:

– Bom dia, estou falando com Richard Benelli?

– Sim, é ele mesmo. Quem fala? – decidi embarcar em sua brincadeira. De certa forma, filhos nunca deixam totalmente de ser crianças diante dos pais.

— Meu nome é Alice, sou repórter da CNN em Washington e estou investigando uma misteriosa compra de quadros de uma artista nova-iorquina chamada Sharon.

Acho que a brincadeira teve alguma repercussão em mim, pois minha reação involuntária foi suar frio. Mas eu não estava fazendo nada de errado e, assim que caí em mim, decidi dar continuidade àquele diálogo improvável.

— E o que eu tenho a ver com essa misteriosa transação, senhorita Alice?

— Tenho razões suficientes para acreditar que o senhor seja o responsável pela compra, embora tenha tentado ocultar sua identidade. O senhor confirma esta informação?

— Bem, eu preferia permanecer oculto, mas, já que os seus dotes investigativos a levaram à descoberta, eu confirmo, sim — não consegui conter o riso depois da minha confissão.

— Mas, pai, por que você fez isso? — Alice tinha desistido da nossa encenação, talvez por não contar que eu seria franco sem qualquer resistência.

— Para deixar a sua mãe feliz, Alice.

— Feliz? Ela acredita que seus quadros estejam sendo apreciados, mas é você quem os compra. Como pode a felicidade ser baseada em uma mentira? — ela perguntou, soando um pouco raivosa. Alice era capaz de defender sua mãe com muita paixão.

— Não é uma mentira, minha filha. Em primeiro lugar, eu não sou o único comprador dos quadros dela.

Além disso, faço doações para galerias e museus onde as obras são muito apreciadas.

— Como você pode ter tanta certeza disso?

— Alice, você se lembra dos convites que sua mãe recebeu para o Brasil e a Colômbia? Foram consequência direta das minhas doações. Seus quadros só chegaram a esses países por minha causa... Você sabe como foi importante para ela esse reconhecimento em outros lugares.

— Sim, é verdade. Foi uma das maiores alegrias dela — seu tom finalmente abrandava.

— É isso, minha filha. Eu tenho essa possibilidade de fazer algo bom por sua mãe, então não vejo por que não fazê-lo. Procurei pensar sempre assim enquanto fui casado com ela, e agora continua valendo o mesmo. Tivemos uma ótima vida juntos, não carregamos nenhum ressentimento, não há por que mudar — enquanto dizia isso, eu pensava em algumas faltas que havia cometido durante o casamento, mas os altos e baixos fazem parte da vida e não anulam as boas intenções.

— Está bem, pai, não vou ser sentimental e dizer que acho isso bonito, que me parece uma forma especial de amor... E você tampouco precisa me pedir para guardar segredo. Não contarei nada à minha mãe, até porque não quero tirar nenhuma alegria dela.

— Muito obrigado, senhorita Alice. E fico à disposição para prestar outros esclarecimentos necessários, desde que você prometa não gravar as nossas ligações — eu disse, tentando retomar a descontração inicial da conversa.

– Ótimo, senhor Benelli. Ande na linha, pois estamos observando!

Eu tinha certeza de que, antes de desligar, ela ouviu a minha gargalhada. Alice era realmente apaixonante. Eu me sentia feliz por agora compartilhar com ela o meu gesto quase anônimo em benefício da felicidade de Sharon e imaginava que um dia ela poderia ver a vida com meus olhos e também encontrar sua felicidade no dom da gratificação. Poucos entendem que uma das mais verdadeiras formas de amar é dar sem ser cobrado, é viver no brilho dos olhos do outro sem que para isso haja qualquer exigência, imposição ou dever. É simplesmente amar por amar, razão maior de nossa existência.

CAPÍTULO 14

RICK

Nunca cheguei a propor a Suzie que viesse morar comigo. Eu desejava estar sempre junto a ela, sim, mas em algumas conversas ela havia deixado claro que prezava a sua independência – e que tinha um carinho enorme pelo próprio apartamento. De fato, era um lugar muito charmoso, embora pequeno. Ela cuidava com esmero daquele espaço, que parecia aconchegante e delicado como a proprietária.

Ainda assim, eu sempre procurava maneiras indiretas de lhe dizer que, se quisesse, minha casa também seria dela. Insistia para que deixasse algumas de suas coisas em meus armários, propunha que dormisse algumas noites por semana comigo, inventava necessidades hipotéticas – lençóis, louças, tapetes – para pedir sua ajuda nas compras e, assim, fazê-la sentir-se parte daquele ambiente. Eu evitava ser direto por temer que um convite precipitado pudesse fazê-la sentir-se pressionada, afastando-a de mim.

Nossos encontros aconteciam pelo menos a cada dois dias. Eu estava de olho em tudo o que acontecia na cidade, para não perder uma única oportunidade de fazer algo interessante com Suzie. Novos restaurantes, peças em cartaz, apresentações de *jazz*, inaugurações de bares. Mas muitas vezes acontecia de apenas tomarmos um café e sairmos para caminhar... A primavera trazia dias mais longos e quentes. Os parques voltavam a se colorir, e Nova York ficava novamente alegre e vivaz. Andando ao seu lado, eu me sentia pleno.

Eu tinha ouvido falar de um bar onde o pôr do sol era maravilhoso. Localizado no último andar de um hotel, era um lugar jovem, onde Suzie provavelmente se sentiria à vontade, talvez encontrando amigos ou pessoas conhecidas. Convidei-a para tomar drinques depois de um dia de trabalho. Eu esperava que, depois de apreciar a vista sobre Manhattan, ela aceitasse estar comigo em uma das suítes do hotel, cujas janelas de vidro dão a impressão de se estar sobre o rio Hudson.

O local era mais descontraído do que eu esperava. Reunia nova-iorquinos na casa dos 20 anos e muitos, muitos turistas. Mas eu mal prestei atenção no ambiente: Suzie estava muito sedutora. Seu vestido, já curto, subia a cada cruzada de pernas. Sentado ao seu lado, eu observava discretamente, vibrando a cada movimento seu. No clima inspirado pelo local, cada vez mais cheio de gente jovem, eu me comportava como um namorado apaixonado, acariciando suas mãos, dando abraços a cada risada, enchendo-a de beijos. Ela retribuía, passeava o nariz por meu pescoço, segurava com força meu braço, me beijava e me beijava.

Aproveitei que ninguém poderia ver o que acontecia entre nós e, durante esses longos beijos, toquei as suas coxas, que passei a explorar. Suzie fez o mesmo, lentamente dirigindo seus dedos em direção à minha virilha. Eu estava muito excitado e respondi subindo minhas mãos até sentir seu sexo úmido, mesmo através da meia-calça e da calcinha. Ela expirou profundamente, soltando um leve gemido. Senti que roçava meu pau já duro, o que também me fez gemer. Tudo parecia caminhar para o cenário que eu idealizava, onde nossos corpos poderiam enfim tocar-se, já distantes de toda aquela gente. Mas Suzie de repente parou, levantando-se rapidamente e pedindo licença para ir ao banheiro. Ela estava um pouco pálida, então me apressei em perguntar:

— Está tudo bem, Suzie? Você não gosta deste ambiente? De fato, não tem nada a ver com a gente. Podemos ir a um lugar mais tranquilo, ou aonde você preferir.

— Eu não me importo com o ambiente, Rick, desde que tenha boa companhia. Está tudo bem, eu apenas preciso me refrescar. Venho já.

SUZIE

Eu sentia por Rick algo que nunca havia sentido por nenhum outro homem. Tudo era fácil ao lado dele. Nós tínhamos as conversas mais envolventes, nossos corpos se procuravam com muita sintonia, estávamos sempre confortáveis um ao lado do outro.

Eu estava completamente entregue, desejando me doar inteira: estar com ele o tempo todo, dedicar-lhe o melhor de mim, fazê-lo sentir que, ao meu lado, ele havia encontrado o seu lugar. Eu quase sempre seguia esse instinto. Algumas vezes, porém, algo me barrava, como num susto. Uma inundação de dúvidas. Não seria loucura demais me entregar a alguém cuja vida repousava em um equilíbrio delicado? O aneurisma de Rick não deveria ser um sinal vermelho captado pelo meu instinto de autopreservação, em vez de um convite para que eu cedesse aos meus desejos com urgência? Onde eu estava com a cabeça quando decidi me envolver dessa forma com alguém que tinha uma expectativa de vida tão curta?

Não eram exatamente pensamentos que eu poderia compartilhar com ele. Eu tentava protegê-lo dessas minhas dúvidas, mas às vezes era difícil esconder. O dia em que fomos ao Le Bain tinha sido o exemplo mais óbvio disso. Eu estava totalmente envolvida. Percebi que Rick havia escolhido uma opção mais descontraída, embora sem abrir mão de bons drinques. Não acho que ele frequentaria aquele bar se não estivesse comigo. O horário, a vista, os seus carinhos – tudo parecia uma maneira de ele dizer: "Entregue-se a mim, estou pronto para recebê-la".

Eu estava quase a ponto de propor que a gente se hospedasse em um dos quartos do hotel, porque ele tinha me deixado muito excitada. Meu corpo febrilmente procurava o dele, desejando preencher-se. Mas, quando senti como ele estava duro, vivi o choque violento dos dois lados que concorriam dentro de mim: levada pelo tesão, eu queria subir nele ali mesmo; tomada pelo medo, eu queria fugir.

Passei algum tempo tentando domar meus pensamentos, até me dar conta da situação esdrúxula que eu mesma estava armando. Aquele homem incrível me esperava do lado de fora, enquanto eu, no banheiro, perdia tempo com dilemas existenciais. Claro que eu não podia ignorar totalmente as minhas dúvidas, mas era preciso decidir: ou estava naquilo de corpo inteiro ou precisaria ser honesta com Rick, para que ele não perdesse o pouco tempo que tinha com dúvidas e situações frustrantes. Respirei fundo. Ao me olhar no espelho, eu já sabia qual seria a minha resposta.

Quando voltei do banheiro, ele me convidou para passarmos a noite naquele hotel. Eu disse sim.

RICK

Eu não poderia ter feito escolha melhor ao reservar a suíte. Quase todas as paredes eram na verdade janelas com vista para a cidade e o rio. Escurecia, e o efeito das luzes era incrível. Suzie vibrou com o ofurô quase encostado à janela.

Ela preparou o banho já despida – tornando ainda mais insuportável a espera pelo seu corpo, que se prolongava desde o último drinque. Percorri os cinquenta metros quadrados da suíte imaginando que iria comê-la em cada um deles. Mas ela já havia definido por onde iríamos começar.

A água ainda corria quando eu me aproximei. Abracei Suzie pelas costas, envolvendo sua barriga e fazendo pressão com o meu peito para que ela se curvasse. Ela apoiou as mãos na borda e, sem que eu precisasse tocá-la, afastou ligeiramente as pernas, empinando-se. Meu pau entrou facilmente, escorregando para dentro dela. Fiz um esforço tremendo para esperar que ela desse sinais de clímax. Eu estava literalmente explodindo. Felizmente, ela também. O tesão era tão grande que não duramos mais que alguns minutos.

O banho me pareceu a oportunidade perfeita para retomar uma conversa antiga:

— Suzie, encontrei o lugar perfeito para repetirmos a experiência de Veneza. É um lugar em Paris, frequentado por muita gente conhecida. Chama-se Les Chandelles, ouvi dizer que aquele ator espanhol, Carlos Banderas, e diretores do FMI são alguns dos clientes habituais.

Assim que terminei de falar, me dei conta de que ela poderia me entender mal. Parecia que eu estava fazendo propaganda dos homens interessantes que ela poderia encontrar por lá. Ela me deu um sorriso cúmplice. Certamente percebeu a minha confusão, mas acabou não comentando nada.

— Paris, Rick? Hoje estou sem medo dos clichês, então posso dizer que quero muito visitar a cidade com você. Viajei para lá com duas amigas há alguns anos; fiquei o tempo todo pensando que não há lugar melhor para estar com a pessoa que amamos. E quero sim que você me mostre esse outro lado da Cidade Luz.

— Para mim será algo novo também, garota. Vamos conhecer isso juntos. Daqui a três semanas funciona para você? Assim aproveitamos o fim da primavera: é o melhor momento para se estar Paris.

Suzie concordou. Tivemos uma madrugada intensa, alternando momentos de irresistível prazer com animados planos de viagem.

CAPÍTULO 15

RICK

Eram 5 horas da manhã quando meu celular se acendeu, revelando na tela um rosto sorridente e juvenil. Eu estava acordado e, assim que dirigi o olhar para o aparelho sobre o criado-mudo, percebi se tratar de Alice, que pelo WhatsApp me transmitia alguma mensagem. Não era comum que eu já estivesse desperto, programando o meu dia de contatos e obrigações. Mas a perspectiva da viagem a Paris com Suzie às vezes me deixava parecido com um adolescente ansioso e, além disso, na noite anterior eu havia me deitado muito cedo, sem tomar meu Stilnox para permanecer na cama até mais tarde. Era também incomum que minha filha tentasse contato numa hora daquelas. Trouxe o celular até junto ao meu rosto e li a mensagem:

– Bom dia, pai! Está tudo bem, mas eu gostaria de falar com o senhor. Não tem pressa... Beijo e te amo.

Quando alguma coisa nos perturba durante o dia, e mesmo que a gente não dê o devido valor, o intuitivo nos desperta pela madrugada como um anjo da guarda e nos impinge a sentir que alguma coisa não vai bem, demandando atitude. Era provavelmente o que estava acontecendo com Alice.

Pelas poucas palavras que ela escreveu naquela hora da manhã, logo senti que, embora ela dissesse não haver pressa, havia sim. "Está tudo bem" soava que não, e ela dizer que me amava às 5 horas da manhã era algo que me diferenciava de tantos outros amores que ela pudesse ter: ela gostaria de dividir comigo alguma angústia ou problema que só com o pai ou pessoas especialíssimas a gente pode compartilhar.

Mal a tela apagou após a leitura da mensagem, digitei:

— Olá, minha filhinha, como está você?

Percebi que ela ficou surpresa com meu retorno imediato, sentindo-se sem graça para pedir que àquela hora da manhã trocássemos um telefonema.

— Oi, pai... Desculpa enviar tão cedo esta mensagem. Pensei que não iria acordá-lo. Está tudo bem com você?

— Você não me acordou. O telefone estava sem som, só percebi que havia mensagem sua porque eu já estava desperto. Estou bem, sim, e te amo também, como você sabe. Sobre o que você gostaria de conversar?

— Nada de mais, mas prefiro falar pessoalmente. Hoje tenho algumas matérias para acabar aqui na agência, mas na próxima semana vou a Nova York para conversarmos.

Insisti, e ela continuou reticente. Mas algo me dizia de sua angústia, e voltei a repetir:

— Sim, nos falaremos depois, mas me adiante o que está acontecendo.

Talvez porque escondida por trás do telefone e protegida pela distância, ela foi seca e peremptória:

— Estou grávida.

Demorei para esboçar alguma reação. Mais que surpreso, eu estava em dúvida. Seu tom não era de alegria, mas uma parte de mim pensou em encarar aquela frase como uma boa notícia, dando os parabéns à minha filha. Tentei me lembrar de algum namorado estável ou paquera ocasional que Alice tivesse mencionado recentemente, mas nada me ocorreu. Concluí, então, que algo inesperado e casual tinha ocorrido e, para confortá-la, tentei transmitir que, qualquer que fosse a situação, eu estaria feliz por ela e por ser avô. De pronto, ela disse algumas poucas palavras e chorou:

— Não é isso o que quero, pai.

Ela começou a chorar copiosamente, enviou-me um beijo e desligou o telefone. Já sentado na cama e mais desperto que nunca, fiquei atônito por alguns instantes. Cheguei a preparar o telefone para lhe ligar novamente, mas achei melhor dar o espaço que ela parecia demandar — pelo menos por algumas horas.

II

Decidi que naquele fim de tarde eu viajaria a Washington para poder estar com Alice, ao menos durante o jantar. Eu já havia feito aquilo diversas vezes por razões profissionais: não havia por que deixar de estar ali por ela, que mais cedo parecera tão aflita. Enquanto aguardava o embarque, telefonei-lhe novamente, e ela, mais calma, me contou como aconteceu.

Ela havia sido convidada por uma amiga da agência de notícias para uma festinha na casa de uns amigos – todos muito jovens, entre 25 e 30 anos. No início o ambiente parecia bem tranquilo. Cada um falava de suas atividades ao som de uma frenética música eletrônica e rítmica, até que um dos rapazes se aproximou dela. Era um pouco mais velho do que os demais, em torno de uns 40 anos. Chamava-se Andrés e era de descendência mexicana, embora nascido nos Estados Unidos. Parecia muito simpático, mas não conseguia esconder seu ar de galanteador e mulherengo.

Ela contou-me apenas que tomou alguns coquetéis e acordou num dos quartos da casa. Vestida, mas sem calcinha. Notou pela luz que penetrava entre as frestas da cortina que já era dia. Ouviu vozes no interior da casa e percebeu que vários rapazes riam e conversavam ao sabor de café e biscoitos industriais, cujos invólucros eram rasgados e descuidadamente jogados sobre a mesa.

Andrés, que também circundava a mesa de café, abriu um sorriso sarcástico ao vê-la sair do quarto com os cabelos ainda pouco arrumados e fez uma pergunta indiscreta e pedante.

– Diante de todos os outros, ele perguntou se eu havia gostado de transar com ele – disse Alice, soando constrangida ao relatar ao próprio pai uma abordagem grosseira como essa. Ela ressaltou o ar de fanfarrão desse rapaz, evidentemente próprio de um canalha, que fez os outros ao redor da mesa darem uma descortês gargalhada. – Pai, eu nunca tinha me sentido tão usada, para não dizer humilhada, por uma atitude machista em minha vida.

Eu não quis perguntar se aquela relação fora consensual e se ela se lembrava de mais alguma coisa. Preferi guardar a curiosidade para não expô-la mais ainda. Percebi que ela estava tremendamente fragilizada e que talvez aquele não fosse o melhor momento para entrar em detalhes. Em cerca de duas horas estaríamos juntos.

Prestes a entrar no avião, enviei a um velho amigo, Harold Moore, que ainda trabalhava num *bureau* de inteligência, as informações que Alice havia me contado sobre o rapaz. Eu não esperava ter qualquer tipo de ligação com aquele canalha, mas algo me impelia a saber melhor quem ele era. Acho que, tomado pela raiva, eu precisava de mais elementos para imaginar aquele a quem eu provavelmente odiaria até o fim dos meus dias. Mais que disso, eu queria entender como alguém ousava agir daquela maneira em relação à minha filha.

III

Harold era realmente fantástico. Saí do avião em Washington já com o relatório completo do rapaz. Tratava-se de um malsucedido corretor de imóveis de nome Andrés Villena, oriundo da Flórida, onde praticava e exercia toda sorte de negociatas, aproveitando o *boom* expansionista imobiliário durante o período do governador Jeb Bush. Desde a crise de 2008, quando o Lehman Brothers faliu, ele havia se metido em várias falcatruas. Sua lista pregressa vinha desde repetidas multas de trânsito até estelionato, que lhe rendera seis meses de detenção em 2010 no Condado de Osceola, por falsificação de cartão de Segurança Social na Flórida. Agora, trabalhava de galho em galho em empresas de *check cashing*, quase sempre de amigos de seu convívio, e era tido como um puxa-saco contumaz. Andava sempre em carros bonitos e espalhafatosos, que conseguia mediante longos financiamentos bancários, e o fazia como se fosse um importante homem de negócios, quando, na verdade, era um tremendo picareta. Ele havia sido denunciado também por uma ex-namorada por agressão física, quando ainda morava em Pompano Beach.

Certamente, não era alguém assim que eu desejava para ser meu genro, e muito menos para pai do meu neto, mas a vida sempre há de contornar as adversidades que o futuro nos reserva. Tomei um táxi e segui ao encontro de minha filha.

IV

Eu gostaria de ter levado Alice para jantar em um lugar especial. Não desses badalados, onde políticos e homens de negócios gostam de se exibir na capital. Mas em um restaurante que fosse aconchegante para ela e preparasse aquela comida que ela procura quando está se sentindo adoecida ou fragilizada. A sugestão dela foi diferente: pediríamos algo em casa, mesmo, onde ela se sentiria mais à vontade para continuarmos a conversar sobre o assunto. Fui direto para seu pequeno apartamento, avisando no hotel que faria o *check-in* somente mais tarde.

Assim que Alice abriu a porta, notei que estava abatida e havia chorado. Desde criança ela era dessa maneira: seus olhos ficavam inchados e rodeados por pequenas manchas vermelhas na pele, impedindo-a de esconder lágrimas recentes. Abraçou-me com força, como há muito não fazia, e eu fiquei aliviado por saber que estar lá naquele momento era mesmo a coisa certa a fazer.

Sem se lembrar de me oferecer e desatenta à sua própria condição, Alice tirou do armário duas taças e nos serviu uma quantidade generosa de vinho tinto. Pensei em perguntar se ela achava que era uma boa ideia ingerir álcool, ainda mais naquela quantidade, mas tive receio de deixá-la mais sensibilizada. Ela mesma tomou as rédeas da conversa:

– Bem, pai, agora você já sabe que cometi esse erro terrível e conhece as circunstâncias em que tudo aconteceu. Espero que não me julgue por isso, eu costumo ser muito mais cuidadosa e em geral não deixo que me tratem assim.

– Não estou julgando você de nenhuma maneira, Alice. Julgo esse sujeito desprezível, que não a tratou como você merece e que deve fazer isso com muitas outras mulheres.

— Não sei, pai, fico achando que é tudo culpa minha. Eu é que deixei tudo isso acontecer. — Alice fez esse desabafo e recomeçou a chorar.

— Você está muito abalada pelo que aconteceu, minha filha. Daqui a alguns dias, quando estiver mais tranquila, vai colocar tudo em perspectiva e entender que não deve se molestar por isso — eu disse, tentando acalmá-la. É verdade que ela havia aberto a porta para um sujeito que não era boa coisa, mas eu acreditava realmente que a culpa pela situação não era dela. Aliás, ainda me consumia imaginar a possibilidade de que ela tivesse sido violentada depois de terem colocado alguma espécie de sonífero em sua bebida. Continuei me calando em relação a isso.

Pedimos o jantar em um restaurante chinês próximo e, até o fim da refeição, tivemos alguns momentos mais descontraídos. Alice conseguiu se concentrar em outros assuntos, contando sobre as matérias que estava desenvolvendo e as dificuldades que andava encontrando em relação à sua chefia no trabalho — apesar de se tratar de uma agência de notícias, ela dizia, as decisões editoriais podem ser muito politizadas, no mau sentido. Ela era idealista e ainda sonhava com um jornalismo isento e imparcial: nada poderia ser mais frustrante para as suas expectativas do que a rotina de trabalho em Washington.

Alice me perguntou sobre Suzie, e percebi que ela gostaria de saber alguns detalhes. Sempre preferi ser reservado, especialmente diante dos meus filhos, que não precisavam conhecer detalhes da minha vida pessoal. Neste caso não seria diferente, só por causa da amizade entre minha nova companheira e minha filha. Limitei-me a confessar minha alegria e meu rejuvenescimento em uma época tão dura da minha vida. Isso poderia ter nos conduzido ao assunto do diagnóstico, mas Alice, talvez se sentindo incapaz de lidar com mais um tema difícil em uma só noite, não seguiu por esse caminho.

Quando terminamos de comer, ela me surpreendeu com sua franqueza:

– Pai, eu gostaria de pedir seu apoio em uma decisão delicada que eu tomei – Alice disse em um tom bastante sério, que rapidamente despertou minha preocupação, acelerando-me o coração.

– Sim, minha filha, você terá meu apoio sempre – fiz questão de frisar, embora engolindo seco.

– Esta gravidez não é desejada. Eu gostaria de fazer um aborto.

Devo ter demorado alguns segundos para demonstrar alguma reação. Eu nunca tive uma posição muito rígida em relação ao aborto; aliás, sempre achei que, em determinadas situações, é preciso sim permitir que aconteça. Mas aquela situação era muito mais complexa do que qualquer pensamento teórico que eu pudesse ter sobre o assunto. Talvez porque uma parte de mim desejasse o nascimento de um neto. Desde a notícia de minha doença dada pelo dr. Steve, eu pensava muito em como somos finitos, exceto pela continuidade que deixamos concretamente na família e afetivamente nas pessoas que nos rodeiam. Logo voltei a pensar, porém, no sofrimento de Alice, percebendo que essa era a questão mais importante e urgente no momento.

— Entendo, Alice. Você está totalmente segura dessa decisão?

— Quase totalmente. Cheguei a pesquisar algumas clínicas, mas só vou conseguir marcar um horário quando sentir mesmo que tenho certeza absoluta. Eu sempre quis ser mãe, mas não acho que este seja o momento, nem que esta seja a melhor forma.

— Mas, se você sempre quis uma criança, será que não seria o caso de se abrir para essa possibilidade que já existe no momento? — Fiquei preocupado de parecer muito tendencioso, então logo emendei: — Por favor, não pense que estou tentando influenciar sua decisão em algum sentido, estamos apenas conversando sobre a sua escolha.

— Eu sei, pai. Já pensei nisso também, mas a experiência com aquele sujeito foi tão desagradável que não quero amarrar uma coisa à outra. Eu quero poder amar o meu bebê sem precisar superar uma coisa dessas primeiro.

— Acho que você amaria essa criança de qualquer maneira. É um sentimento diferente de tudo o que você já viveu...

— Como você pode ter certeza? Suas experiências como pai são outras. Não temos como saber, e não estou disposta a me colocar nessa situação. — Ela pareceu um pouco raivosa, fazendo-me pensar que eu talvez tivesse cruzado algum limite com o meu comentário. Mas mudou de tom ao continuar: – Além disso, estou me candidatando a uma posição no trabalho que pode representar o grande salto na minha carreira e no início seria totalmente incompatível com a maternidade. Minha chefe comentou que tenho boas chances, e não quero sacrificar isso agora. E, por outro lado, pai, independentemente de quais forem as minhas conquistas profissionais, não é isso que quero agora. Sou dona do meu corpo e da minha vida, e o que aconteceu – não quero nem pensar, mas disto estou certa – não foi fruto de amor. Sou jovem, pai, e quero outra oportunidade. É difícil entender, mas a vida só é bela quando tudo se faz por amor.

– Me parece que você já tomou sua decisão, Alice. Talvez só precise de um tempo para deixar que, da cabeça, ela chegue ao seu coração. Algumas coisas são assim mesmo: já as sabemos em algum lugar de nós, mas precisamos de tempo até que seja possível concretizá-las.

Alice ficou algum tempo em silêncio, com o olhar fixo em um ponto qualquer, provavelmente imaginando quais seriam seus próximos passos e movimentos. Enquanto a observava, lembrei-me de sua infância e de como, mesmo muito pequena, ela sempre deu provas de sua maturidade e autonomia. Era ela que, entre os amiguinhos, consolava os chorosos, socorria os acidentados, fazia a mediação das brigas. Seu comportamento era quase sempre exemplar:

quando os outros faziam birra, ela olhava com certa perplexidade – provavelmente porque muito cedo ela descobriu maneiras de expressar seus desejos, comunicando-os com certa clareza. A verdade é que Alice sempre me encheu de orgulho e admiração. Por isso, eu sabia que, por mais difícil que fosse aquela situação, ela teria todos os recursos para lidar com ela.

– Você pode contar comigo para o que precisar, minha filha. Posso ajudá-la a encontrar a melhor clínica, ajudar financeiramente... Se quiser fazer o procedimento em Nova York, você pode se hospedar em casa e ficar lá quanto tempo quiser. Aliás, daqui a duas semanas viajo com Suzie: se preferir, você pode aproveitar a casa vazia. E que tal uma viagem por alguns dias, para depois espairecer um pouco?

– Obrigada, pai, vou pensar em todas as suas ofertas com muito carinho – ela disse, já esboçando sorrisos e com o olhar mais límpido. Aproximou-se e novamente abraçou-me.

Apesar de tudo, senti-me feliz. Eu estava ali com Alice e por Alice.

Duas semanas depois, nas vésperas de minha viagem a Paris, recebi um WhatsApp de Alice.

– Pai, tudo deu certo, estou ótima de saúde. Embora não precisasse, os recursos chegaram à minha conta bancária e sei o significado desse dinheiro, que transcende o lado pecuniário para o lado moral. Como é incrível a sua sensibilidade para comigo. Você é o maior pai do mundo. Beijo.

Trouxe o celular ao peito e meus olhos encheram-se de lágrimas.

CAPÍTULO 16

SUZIE

Tomamos um voo noturno para Paris. Quando pousamos, amanhecia. De táxi, fomos direto para o 16º arrondissement, bairro nobre, onde ficaríamos hospedados. Chegamos à cidade ladeando o rio fora dos domínios parisienses e passando por alguns parques da periferia. Entramos pelo Arco do Triunfo, o que causou em mim aquele efeito que apenas a capital francesa consegue ter sobre as pessoas: uma leve suspensão da respiração, em que vêm à tona os sonhos românticos mais recônditos. Eu já conhecia aquela paisagem, com a avenida larga margeada por árvores, os prédios baixos abrigando, no térreo, algumas das melhores lojas do mundo. Ainda assim, eu me emocionava.

Rick havia reservado para nós um quarto no Shangri-La, hotel que ocupava um palácio construído por Napoleão no fim do século XIX. Era como nos hospedarmos em um museu, que desde o saguão de entrada deixava claras as suas origens reais. Fizemos o *check-in* e nos recolhemos imediatamente. Haviam nos prometido levar o café da manhã.

Nosso quarto tinha uma vista incrível para a Torre Eiffel – na verdade, nosso banheiro é que se abria para o cartão postal. Pelo nosso histórico em quartos de hotel com banheiras e vistas deslumbrantes, fiquei excitada assim que pus os pés ali dentro. Antes que eu pudesse me aproximar de Rick, porém, um funcionário trouxe a prometida refeição, que fizemos no terraço. Frutas frescas, diferentes tipos de queijo, geleias, deliciosos doces e pães tipicamente franceses... As boas-vindas eram de fato saborosas.

Eu estava ansiosa para passear pela cidade com Rick, mas estávamos muito cansados, então decidimos ficar no quarto até a hora do almoço. Notei que, ao se deitar na cama, ele já sabia o que eu tinha em mente. Através de suas calças eu via sua ereção. Quando comecei a acariciá-lo, ele já estava completamente duro. Sem desapertar o botão, abri o zíper de suas calças e tirei seu pau para fora. De frente para ele, ajoelhei-me com as pernas abertas na região de seu quadril. Eu já estava sem calças, mas preferi permanecer de calcinha. Puxei-a para o lado e, com a ajuda das mãos, fiz com que Rick me penetrasse. Ele terminou de abrir suas calças, forçando-as um pouco para baixo, e me deu um beijo carinhoso no pescoço.

Eu conhecia o significado daquele beijo, ele estava contente com a minha iniciativa de transarmos naquela posição, que ele adorava. Eu também estava contente. Adorava sentir as suas mãos em meu quadril, mas a minha excitação vinha muito também de estar com ele ali, naquele lugar fabuloso em uma cidade maravilhosa. Eu tinha muitas expectativas em relação aos dias seguintes.

RICK

Assim que entramos na cidade, pude ver nos olhos de Suzie sua alegria. Era um daqueles momentos em que a mulher forte e admirável se deixava invadir pelos sonhos da menina. Eu gostava de observá-la nessas situações. Mais do que isso, eu esperava ser capaz de satisfazer tanto as suas fantasias adultas como os seus devaneios mais puros. Paris era um bom lugar para realizar tudo isso. Eu sentia que tudo estava em seu lugar, e isso me deixava feliz: Alice, hospedada em minha casa, estava ótima física e psicologicamente desde que resolvera a razão de sua angústia; Michael estava realizado em seu novo projeto; Sharon comemorava o sucesso de sua exposição. Eu podia relaxar e viver o clichê romântico com minha encantadora namorada.

Almoçamos em um bistrô muito simples, mas de comida realmente boa. Suzie pediu um *stake tartar* e eu, o *magret de canard*. Tomamos um bom vinho. Decidimos ter um dia mais leve, até para nos recuperarmos da viagem. Visitamos a Orangerie, um pequeno museu, situado nos Jardins das Tulherias, que tem uma coleção fabulosa de impressionistas. Ali pudemos apreciar, sentados e com calma, os painéis em que Monet pintou as Ninfeias. Na volta, decidimos caminhar até o hotel. O percurso era um pouco longo, mas seguimos sem pressa, apreciando o passeio.

No dia seguinte, iríamos às compras. Suzie havia montado um intenso roteiro, que incluía lojas, museus, restaurantes, bares com apresentações musicais. Muitos daqueles lugares eu já conhecia, mas seu entusiasmo era tão genuíno que eu não me importava em repetir os passeios. Além disso, ela era uma mulher de bom gosto. Nada do que escolhesse poderia me aborrecer.

Eu havia feito reservas para irmos a Les Chandelles na terça à noite. Lá, certamente comeríamos bem e, se Suzie estivesse no clima, poderíamos repetir a intensa experiência veneziana.

SUZIE

Os primeiros dias da viagem passaram voando. Quando dei por mim, já era terça à noite. Nós seguíamos de táxi para a Rue Thérèse, uma ruazinha estreita próxima do Palais Royal e da Bolsa de Paris. No número 1, uma pequena porta sem qualquer identificação, no térreo de um edifício aparentemente residencial, era a entrada para um dos lugares mais famosos do mundo entre aqueles que procuram formas menos convencionais de prazer.

Passamos para um pequeno saguão, onde notei que, por meio de uma câmera, éramos observados em detalhes, em nossas roupas, sapatos... Eu usava um de meus vestidos preferidos, um tubinho preto, de corte cinturado, decote em coração e fenda nas pernas – sobre o qual levava uma jaqueta branca. Nos pés, as sandálias Louboutin que Rick havia me dado como presente naquele mesmo dia. Ele usava calças de alfaiataria, camisa e um discreto par de sapatos que também havia acabado de comprar, em nosso passeio por Champs-Élysées. Estava simples e muito, muito charmoso. Passar pela porta significava ser aprovado. Nós estávamos dentro. Um homem muito antipático pediu que deixássemos nossos casacos e outros objetos na chapelaria – a fim de evitar, como nos explicou, que qualquer pessoa descesse ao clube com dinheiro ou telefone, este proibido por lá. Iniciamos a descida.

Graças a Rick, já havia uma mesa no restaurante reservada para nós. Tivemos um jantar completo, com entrada, prato principal e sobremesa. Nada parecia diferente naquele ambiente. A meia-luz talvez fosse excessiva para um restaurante convencional – mas, afinal, era preciso manter as referências às "velas" que, em francês, davam nome ao lugar. De resto, éramos apenas muitos casais em refeições tipicamente românticas.

Descendo mais escadas, passamos para a discoteca, onde pessoas – mulheres, a maior parte, e bastante jovens – dançavam ao som de música eletrônica. Nos vários pontos de *pole dancing*, alternavam-se casais, mulheres sozinhas, mulheres acompanhadas... Era nas mesas ao redor desse ambiente que os casais se aproximavam de novos parceiros, convidando-se para uma bebida, querendo se conhecer melhor. Alguns pares se aproximaram de nós, mas nenhum de nós dois estava no clima para essas conversas introdutórias e, algumas vezes, constrangedoras – em que normalmente um casal assume o papel de apresentar o mundo do *swing* para o outro.

Decidimos ir até as salas onde tudo acontecia para conferir se o lugar era, de fato, o que prometia.

RICK

Entramos pelo corredor onde ficavam as salas onde tudo acontecia. Na primeira delas, um grupo de pessoas apenas conversava. Pareciam amigos, tentando se habituar ao ambiente enquanto se distraíam de sua própria imaginação. Em outra, um casal se acariciava enquanto um homem, visivelmente mais velho, observava, tocando-se. Tive a impressão de ser um daqueles casos em que o marido tem prazer em ver sua mulher com outra pessoa. Eles viraram em nossa direção, com expressões que pareceram um convite para nos juntarmos à festa. Suzie e eu trocamos um rápido olhar que revelou nosso mútuo incômodo diante da cena. Seguimos adiante.

Entramos em uma das salas que se abriam ao fim do corredor, de onde vinham alguns gemidos, gritos e outros sons mais abafados. Algumas pessoas usavam partes da roupa, outras vestiam apenas *lingerie* e havia ainda quem estivesse totalmente nu. Logo à entrada, duas lindas mulheres dividiam um homem que, em torno dos cinquenta anos, lembrava Richard Gere nos seus melhores anos. No mesmo longo sofá, a alguns metros de distância, um casal que também poderia estar no cinema, dada a perfeição de seus corpos, brincava: ela, em pé, tirava a roupa sedutoramente; ele observava e tentava tocá-la; ela se desviava.

Os arranjos eram muitos. Duas, três, quatro pessoas... às vezes mais. Algumas mulheres ficavam somente entre si, para deleite de muitos homens, que se permitiam apenas olhá-las – alguns sentados em um canto com seus charutos e cigarros. Uma dessas mulheres, vendo Suzie se aproximar, deixou sua companheira e veio em nossa direção. Sua *lingerie*, com traços que lembravam o estilo sadomasoquista, deixava ver seu corpo escultural. Ela tocou o rosto de Suzie, afastou os cabelos de sua nuca e a beijou. Depois, beijou seus lábios. Suzie não a repeliu. Mas, embora tenha retribuído o beijo, pareceu pouco à vontade. Ela então se afastou, desaparecendo em um canto do salão.

Isso foi suficiente para me deixar um pouco aquecido. Puxei Suzie para mim e comecei a acariciá-la. Nos acomodamos no sofá, onde comecei a beijar seus seios e passar as mãos por suas coxas. Estranhei o ritmo com que Suzie tocava meu pênis, mais rápido que o normal. Quando olhei, não eram as suas mãos sobre mim, e sim as de uma mulher linda, de meia-idade, que ao nosso lado estava ajoelhada sobre um rapaz que não devia ter mais que 30 anos. Notando que éramos receptivos à sua iniciativa, eles desfizeram a posição em que estavam e se aproximaram mais. Ela aproximou-se com a boca, permitindo que, segurando seus cabelos, eu lhe guiasse os movimentos que me dessem mais prazer. Ele fez com que Suzie apoiasse os joelhos no sofá, penetrando-a por trás. Olhando um para o outro, nos desfizemos de qualquer noção de posse ou ciúme: eu via o prazer que o jovem lhe dava; ela via o prazer que a mulher me proporcionava. E assim, nos encarando, chegamos ao clímax, como se em todo aquele ambiente sempre tivesse havido apenas nós dois.

SUZIE

Quando chegamos ao hotel, achei que ainda era muito cedo para conversar sobre a nossa experiência em Les Chandelles. Afinal, aquilo tinha acabado de acontecer, e talvez cada um de nós precisasse de um pouco de tempo para processar. Para mim, tinha sido algo único. Veneza havia sido puro prazer, embora acompanhado de algum susto. Agora eu estava muito mais envolvida com Rick. Deixar-me penetrar por outro homem, olhando em seus olhos enquanto outra mulher lhe fazia sexo oral, era algo de outra ordem. Mas na qual nosso amor persistia, acima de todas as coisas.

Talvez por isso a gente não tenha sentido necessidade de passar mais tempo naquele lugar. Nós havíamos experimentado um pouco de sua fama, obtendo momentos únicos e de prazer intenso. Para nós, aquilo era o bastante.

Quando acordamos no dia seguinte, mal tivemos tempo de dizer "bom dia" e já começamos a fazer amor. Era como se tivéssemos despertado de um sonho estranho e excitante.

RICK

O roteiro de Suzie para quarta-feira incluía Saint-Germain-des-Prés, um dos bairros mais característicos da capital francesa, situado na margem esquerda do rio Sena e conhecido pela intensa vida intelectual. Visitamos algumas lojas, fomos a algumas livrarias e, por fim, decidimos visitar o Café Les Deux Magots.

Ali, onde antes se sentaram tantas vezes Ernest Hemingway, Pablo Picasso e, entre muitos outros, Simone de Beauvoir e Jean-Paul Sartre, Suzie e eu apenas nos deixamos ficar. Pedimos um Sancerre branco e ficamos vendo o movimento, sobretudo de turistas, na rua. Eu gostaria de conversar com ela sobre a noite anterior, mas pensava que, se ela quisesse dizer algo, tomaria a iniciativa. Algumas coisas não precisavam ser faladas, e talvez Les Chandelles fosse uma delas. Limitei-me a dizer:

– Estou muito feliz por estar aqui com você. Nunca imaginei que, nesta altura da minha vida, nesta idade e com os filhos já crescidos, eu voltaria a sentir este tipo de alegria em uma viagem. Paris é mais encantadora com você ao meu lado.

– Você fala de sua idade como se nela já não fosse permitido ter prazeres. E isso não é verdade... Mas entendo o que diz sobre a cidade. Estou também muito encantada com a nossa viagem.

– Está mesmo, Suzie?

– Sim, Rick. Você está me fazendo conhecer muitas coisas novas. Estou vivendo o amor em formas e situações que nunca imaginei serem possíveis. Além de encantada, estou também muito feliz.

Entendi que aquela era a maneira dela de se referir à nossa aventura, e considerei que o assunto estava conversado. Tomei sua mão, dei um beijo e disse:

— Estamos apenas na metade desta viagem. Temos ainda muitos dias para viver toda esta nossa felicidade.

Eu não quis dizer a Suzie, mas uma ponta de tristeza me picou quando me perguntei por que havia demorado tanto para ela aparecer na minha vida. Somente agora, que eu tinha os anos contados, estava encontrando o amor e a felicidade verdadeiros.

CAPÍTULO 17

RICK

Fazia algumas semanas que tínhamos voltado de Paris. Era uma preguiçosa manhã de domingo, e estávamos enrolados na cama, curtindo a energia espiritual de nossos corpos e mentes. Falávamos sobre a infinitude de nossa imaginação e dos sonhos que, mesmo no curto período de tempo que tínhamos juntos, poderíamos realizar.

De repente, Suzie olhou bem fundo nos meus olhos e me perguntou se poderia realizar um desejo que me faria estar para sempre em sua vida. Percebi seus olhos úmidos de emoção, e seu desejo de disfarçar o choro para que eu não percebesse a profundeza do seu pedido. Olhei-a bem firme e falei:

– O que neste mundo, menina, poderei negar-lhe se estiver ao meu alcance?

Em todo o nosso tempo juntos, nunca a tinha visto tão envergonhada como naquele momento. Embora tão próximos um do outro no quarto escuro e aconchegante, ela parecia sentir-se exposta ao mundo inteiro ao dizer o que queria:

— Um filho — disse ela, finalmente.

Ela sabia que, por causa de minhas limitações físicas, os remédios que vinha tomando e, principalmente, a vasectomia que havia feito depois do nascimento do Michael, eu jamais poderia atender naturalmente a seu pedido. Mas eu sabia que havia nela o desejo compartilhado por tantas mulheres: a maternidade.

Não me parecia justo que logo eu, tendo já vivido essa experiência duas vezes com outra mulher, lhe negasse a realização dessa vontade – geradora de um sentimento de incompletude tão grande, eu sabia, que parece provocado por Deus para que a humanidade possa procriar.

Eu não tinha dúvida, entretanto, que, entre tantas formas de amar, essa talvez fosse a mais difícil de alcançarmos. Por outro lado, somos capazes de atingir o infinito de nossos desejos e doações quando temos em mente as pessoas que verdadeiramente amamos.

A possibilidade de fecundar Suzie era de fato remota. A vasectomia talvez pudesse ser reversível, mas minha saúde e os medicamentos que tomava por causa do aneurisma provavelmente faziam da esterilidade uma realidade para mim.

— Você não pode ter certeza disso, Rick. Que acha de marcarmos uma consulta no médico para discutir as possibilidades?

— Sim, tenho certeza, Suzie. E, de todo modo, prefiro evitar os médicos. Já estou cheio deles, quero aproveitar longe deles o tempo que me resta.

Suzie pareceu descontente com a lembrança da doença em meio a uma conversa que deveria ser sobre a vida. Puxei-a para perto de mim, deitando sua cabeça em meu peito, e tentei recomeçar em outro tom a conversa:

— Eu quero dar um filho a você, Suzie. Podemos encontrar outras maneiras, mas preciso saber que você compreende o mais importante: eu não estarei ao seu lado na educação dessa criança. Sei que deixar um filho é uma forma de me fazer presente; quero estar certo de que seja realmente uma bênção, e não um fardo, para você.

Ela confessou sonhar com uma criança que, formalmente reconhecida como minha, um dia se tornaria uma pessoa adulta — e sem qualquer dúvida de que seu pai existiu e a amou infinitamente, de uma forma que nenhum poeta seria capaz de expressar.

A produção deste ser só nosso precisaria de uma estratégia especial, em que o doador involuntário do sêmen jamais tivesse conhecimento da gestação. Tomados pelo clima entorpecente daquela manhã passada na cama, fizemos um plano, talvez até um pouco egoísta ou bizarro. Só algo inimaginável nos tornaria cúmplices para a eternidade, num processo tão convicto quanto o objetivo que queríamos alcançar. Decidimos que a concepção teria de ocorrer em um encontro casual, que desaparecesse quase como um sonho no momento em que se confirmasse a fecundação. Nunca mais veríamos o sujeito; melhor ainda se fosse alguém de passagem por Nova York.

Subitamente, passou pela minha cabeça que a vinda daquele bebê significaria um novo caminho para meu relacionamento com Suzie, o que, temi, me faria correr o risco de perdê-la. Mas a sensação avassaladora daquele pacto, e a forma como havíamos combinado, me transmitiu uma sensação que eclipsou meus temores. Como pode um homem, em plena faculdade mental, vivendo um grande amor, dividir sua mulher com outro homem, mesmo que temporariamente, e, assim, provar seus sentimentos?

As dúvidas e questões, as conversas sinceras e o plano que havíamos tramado deixaram-nos estranhamente excitados. Naquela manhã, experimentei um prazer que jamais esperava obter de um sexo lento e delicado. Enrolados no cobertor, fizemos amor, de fato.

SUZIE

Eu andava um pouco apreensiva, pensando que Rick talvez não reagisse bem ao meu pedido. Era uma loucura, eu sabia. Fazia muitos anos que ele havia tido a experiência da paternidade. Repetir isso agora, com a expectativa de vida que ele tinha, parecia algo imprudente – para dizer o mínimo.

Mas parecia também a única coisa certa a fazer. Eu amava Rick como jamais havia amado qualquer outra pessoa em minha vida, e sabia que nunca voltaria a sentir isso por alguém. Eu queria que a nossa vida incrível, intensa e provavelmente curta tivesse continuidade. De preferência, na forma mais sublime de amor.

Rick não me decepcionou. De início, pareceu um pouco assustado diante de meu pedido, já que ficou um pouco reticente, apontando as dificuldades. Depois se entregou, me deixando sem qualquer dúvida de que também o seu amor por mim era especial.

Mais louca do que a ideia de amor que abraçamos era a forma que escolhemos para concretizá-la. Ela não vinha sem custos, e isso valia para nós dois. Rick tinha escolhido ser generoso e provavelmente teria que controlar qualquer sombra de ciúme que aparecesse pelo caminho – afinal, aquela não era uma simples troca de parceiros com o objetivo de termos mais prazer. Já eu precisaria saber que aquela ligação era, acima de tudo, espiritual: Rick não seria o pai biológico da criança, e apenas por um milagre seria o homem a criá-la. Ainda assim, viria dele todo o amor que faria aquele futuro ser sentir-se amado e amparado por um pai, mesmo quando sentisse falta de sua presença.

A ideia de que em poucos anos eu iria perder Rick era insuportável. Um filho talvez não amenizasse as saudades ou o sofrimento, mas poderia trazer a felicidade de saber que nosso amor se prolongaria, ganhando novas existências.

CAPÍTULO 18

RICK

Lembramo-nos do Hotel Chelsea, onde, no passado, artistas vindos de outras cidades americanas e europeias se hospedavam. Vinham para tentar a vida em Nova York, abrigo da cultura artística e cosmopolita do resto do mundo. Por aquele hotel passaram personalidades como Sartre e Simone de Beauvoir, Madonna, Bob Dylan, Frida Kahlo. Mas o edifício, de mais de cem anos, foi também palco de crimes horrendos.

Ali, precisamente no quarto de número 100, Sid Vicious, baixista da banda britânica Sex Pistols, teria matado sua então namorada, Nancy Spungen, ambos residentes do hotel e usuários frequentes de drogas. Infelizmente, Sid nunca foi preso, pois morreu antes de seu julgamento. Alguns anos depois, o escritor nova-iorquino Charles R. Jackson tirou sua própria vida no mesmo hotel.

Apesar das histórias trágicas, o hotel também serviu de inspiração para que famosos escritores produzissem suas obras. Arthur C. Clarke escreveu ali *2001: Uma Odisseia no Espaço*, e trechos do clássico *Na Estrada*, de Jack Kerouac, também ganharam forma sob aquele teto.

O mais interessante sobre nossa escolha de passarmos uma temporada no Hotel Chelsea era o fato de conhecermos pessoas cujas cabeças eram de outros planetas. Essas histórias do passado nos seduziam pela curiosidade e pela sensação de liberdade que transmitiam, como se estivéssemos em outro país, em um outro mundo.

Nos hospedamos no quarto 1702, um dos maiores. Segundo Stanley Bard, gerente do hotel, o apartamento não era "essa coisa toda". Possuía uma enorme cama *king size* de madeira antiga coberta com uma manta de chenile cor de mel. Havia uma pia, um espelho e uma pequena cômoda. Uma televisão analógica se destacava em meio ao exíguo mobiliário do quarto.

Mesmo sendo um hotel histórico e muito procurado, para a nossa sorte, os corredores e as áreas comuns estavam vazios. O clima anônimo desses lugares onde sempre se está de passagem dava-nos segurança para o que buscávamos. Viver num hotel é o melhor jeito de não cair na ilusão de "ter" uma vida pessoal, quero dizer, de não ter nada pessoal como matéria, mas sim restos ou rastros deixados por aqueles que lá passaram. Certamente, eu guardaria na memória aquele cenário ou um retalho de uma parte de minha vida compartilhada com Suzie e que, mais tarde, iria adormecer para sempre em nossos corações.

Ao entardecer, desci do apartamento e fui até o *lounge* do hotel para conhecer nosso novo território. Aproximei-

-me de um pequeno bar em formato de semicírculo e tirei tranquilamente meu sobretudo, pendurando-o próximo à porta. Pedi ao único *barman* presente que me preparasse um uísque com gelo: um "Jack" duplo ou, melhor, triplo. Tomei um bom gole enquanto esperava Suzie descer e ansiava que o efeito da bebida atenuasse a exasperação da minha avidez. Ali, certamente, Suzie encontraria, mais cedo ou mais tarde, o homem que escolheria para lhe fecundar.

A 23th St., entre a Sétima e a Oitava, ainda tinha um clima dos anos 1960. Suzie chegou, saímos pelas calçadas da nova circunvizinhança e entramos numa loja de discos remanescentes de um velho tempo. Como em uma fotografia do passado, observamos, do outro lado da rua, um bistrô, com luzes de néon na porta, bastante convidativo para um drinque noturno. Viramos para leste, entramos na Quinta Avenida e caminhamos até um café, onde comemos bolinhos de canela com expressos duplos. Em seguida pegamos o caminho de volta para o hotel.

Antes de entrarmos, observamos uma loja chamada Aristocratic, onde se vendia toda sorte de quinquilharias, e uma pequena sala de teatro, certamente frequentada pela população festiva daquela região. Havia um anúncio para o show de Ravi Shankar para a próxima semana; sem dúvida seria uma extraordinária exibição da cítara do artista agora conhecido como pai de Norah Jones. Talvez eu pudesse comprar ingressos para ir com Suzie. Tudo ia depender de quanto tempo precisaríamos ficar hospedados no Chelsea até que nossos planos se concretizassem.

SUZIE

Após dois dias de hospedagem no Chelsea, Rick e eu já tínhamos criado uma rotina: saindo do trabalho, encontrávamo-nos no bar do hotel, tomávamos alguns drinques e saíamos para jantar. As horas finais da tarde e as primeiras da noite eram as ideais para conhecer os tipos interessantes que frequentavam o local. Eram inclusive não hóspedes, e se via de tudo: um pintor que exibia seus quadros, um poeta convidando as pessoas para a *vernissage* de seu livro, um ator que acabara de chegar do *set* de filmagem e por aí vai... O ambiente era próprio para fazer amizades. Todos pareciam viver ali procurando um lugar ao sol, em busca da sobrevivência ou da fama. Nova York era uma bela feira de oportunidades, o Éden do sonho universal.

Naquela noite, Rick não estaria. Tinha viajado a Baltimore e somente voltaria no dia seguinte. O mercado financeiro é nervoso, os investidores querem reunir-se frequentemente com os *brokers* para ter convicção de seus investimentos, e Rick era muito convincente. Acreditava na sua intuição, e essa verdade era sempre captada de modo inconsciente por seus clientes, que via de regra concluíam as operações financeiras.

Eu evitava ligar para ele durante essas viagens de negócios, mas naquele dia telefonei, porque tinha algo importante a dizer. No dia anterior, Rick e eu havíamos conhecido no *lobby* um hóspede francês. Chamava-se Paul, era da Côte d'Azur e morava em Nice. Estaria em Nova

York por alguns dias, tratando da transferência de um iate americano para Mônaco.

Rick tinha feito um comentário positivo sobre o cara, que por muitas razões havia chamado também a minha atenção. Tinha uma pele queimada pelo sol do Mediterrâneo, com longos cabelos encaracolados que cobriam as suas orelhas, dando uma aparência de *hippie*. A pulseira de prata de seu relógio Hublot dissipava qualquer ideia de que fosse vulgar ou tivesse gostos baratos. Seu inglês era bem fluido, embora sempre arrastando um erre gutural próprio da língua francesa.

Nessas conversas no bar do hotel, Rick e eu dizíamos ser apenas amigos. Não sabíamos de onde poderia aparecer a pessoa perfeita para o nosso plano, então decidimos ter esse cuidado. Paul, que mantinha uma distância quase formal na primeira aproximação, tornou-se mais próximo e descontraído após ouvir de Rick que não éramos um casal. Ainda assim, foi discreto em seus olhares e cortejos, olhando-me por cima do copo ao beber seu xerez, ouvindo com interesse e atenção toda palavra, mesmo insignificante, que saía de minha boca.

Eu não tinha qualquer intenção de esconder de Rick que aquele olhar havia me deixado lisonjeada. Nem mesmo ele pretendia fingir que não havia notado o discreto efeito de Paul sobre mim. De volta ao nosso quarto, percebi que a situação havia servido, na verdade, para nos deixar mais excitados. Estimulada pelo olhar de Paul, eu desejava Rick com urgência; entre enciumado e exasperado, ele me tocava com vigor, fazendo-me sentir a violência de seu desejo.

Só depois de descarregarmos toda essa energia num orgasmo estrondoso, Rick decidiu tocar no assunto:

– Interessante esse Paul, não? Ele pareceu bastante encantado por você e tem ares de ser um bom rapaz.

Entendi que era uma maneira de conversar sobre a possibilidade de Paul servir ao nosso pacto, mas, naquele momento, eu queria apenas me deixar embalar por aqueles sentimentos inebriantes. Adormeci sem dar qualquer resposta a Rick.

Agora, por telefone, eu tinha que voltar ao assunto. Eu havia me encontrado por acaso com Paul no *lobby* do hotel; sabendo que eu estaria sem companhia, convidou-me para sairmos juntos à noite. Eu tinha decidido aceitar.

Senti uma pontinha de ciúme na voz de Rick, que, no entanto, escolheu não manifestá-lo. Como sempre atencioso e carinhoso, revelou logo ter entendido as minhas intenções. Ainda assim, fez uma espécie de alerta:

– Cuidado, mocinha: nunca se deixe levar pela empolgação. Ela muitas das vezes mascara o racional e a gente entra numa fria.

Não entendi bem o que ele queria dizer naquele momento, mas achei também que não seria o caso de discutir. O terreno era novo para nós dois: o encontro com Paul não tinha nada a ver com as nossas aventuras em Veneza e Paris. Além disso, pensei que poderia ser apenas alguma insegurança dele ou algum incômodo passageiro. Eu sabia que ele não queria dificultar aquele encontro, mesmo porque tudo aquilo fazia parte do nosso plano de conseguirmos um bebê. Conversamos um pouco sobre manter nossas intenções em segredo, continuando a esconder de Paul que não éramos apenas amigos. Quando desligamos, senti que Rick estava mais perto de mim. Eu estava esperançosa.

Paul e eu andamos horas inteiras por Nova York, a conversar e descobrir um pouco um sobre o outro. Lembrava-me de Rick, que pelo telefone me havia dito:

– No primeiro sinal de maluquice, saia disfarçadamente, porque nunca se sabe o que se passa pela cabeça de um desconhecido. – Mas eu estava muito confortável. Paul era muito gentil.

Conversamos sobre a cidade, observando-a como se a cada passo estivéssemos seguindo o caminho sinuoso de uma fascinante paisagem de montanha. Mas eram escadas metálicas que escalavam as fachadas de feias casas de tijolos vermelhos – casas que, de tão feias, ficavam bonitas. Bem perto se erguia um gigantesco prédio de vidro e, atrás dele, um outro prédio em cores e tons diferentes. Depois, a cidade salpicada das mais diferentes arquiteturas.

Paul comentou: na Europa a beleza sempre foi premeditada. Houve sempre uma intenção estética e um plano de longo alcance; foram necessários séculos para construir uma cidade onde se misturam catedrais góticas e obras renascentistas. A beleza de Nova York tem uma origem completamente diferente. É uma beleza involuntária. Nasceu sem que houvesse intenção por parte do homem, um pouco como uma gruta primitiva. As formas, feitas em si mesmas, se encontram por acaso, sem nenhum plano, em improváveis vizinhanças onde brilham de repente numa poesia mágica.

– A beleza involuntária – eu dizia em seguida. É isso mesmo. É a beleza do acidente: mesmo que ele exista por um instante, mesmo por engano, ela persistirá para sempre. Ele mal podia entender a amplitude do que eu falava, e comentou:

– Talvez a beleza involuntária de Nova York seja muito mais rica e muito mais variada do que a beleza austera demais e elaborada demais, nascida de um projeto humano. A beleza europeia é um mundo conservador em estilos e aparências.

Depois de perambularmos pelas ruas de Manhattan, retornamos ao hotel, já com a pressão de várias taças de vinho tragadas pelos bares da cidade.

Confesso que estava com certo encantamento por Paul. Em nenhum momento ele foi agressivo ou mesmo inoportuno em suas aproximações, embora em diversos momentos tivéssemos trocado alguns olhares insinuantes. Surpreendentemente, ao chegarmos no *lobby* do hotel, ele perguntou:

– Você quer visitar meu apartamento?

Eu sorri e subimos juntos no elevador, até seu andar, um pouco acima do meu. Era um quarto com uma grande janela, duas camas encostadas uma na outra e um quadro com uma fotografia de Nova York do início do século passado.

Nos sentamos em duas cadeirinhas ao redor de uma pequena mesa de café, e olho a olho estávamos naquele lugar.

— Você é realmente muito bonita, e curiosa também — disse ele.

— Nota-se?

— Sim, pela maneira de olhar. Você aperta os olhos e faz centenas de perguntas. Ao mesmo tempo, pouco fala de você.

Ri comigo mesma, com certo remorso pelo segredo que ele jamais poderia conhecer, embora desde o começo a conversa tivesse um clima de sedução. E eu estava gostando. Nada do que dizia tinha relação com o mundo exterior. Todas as palavras visavam apenas aquele momento. Já que a conversa perdia um pouco o interesse, nada mais fácil que completar as frases com carícias. Paul, enquanto falava palavras ao vento, acariciava-me. Eu respondia a cada um dos toques com outras carícias. Passei a agir deliberadamente, como numa brincadeira: a cada toque, eu respondia com outro. Ele passou a mão entre as minhas coxas, e eu lentamente as abri, até que ele tocasse por baixo da minha calcinha o meu sexo úmido de tesão.

Assim que ele percebeu a minha excitação, nos levantamos em sincronia, como se tivéssemos ensaiado. Nos jogamos na cama como dois animais sedentos para o acasalamento. Minha sede era, na verdade, mistura do meu enorme prazer com o desejo secreto que partilhava com o Rick. Não havia espaço para remorso ou culpa: eu era apenas paixão, esperança e, talvez, um pouco de desvario. Na intensidade do gozo que vivi com Paul, tive a intuição de que me unia, de modo irreversível, ao homem a quem tanto amava.

IV

Pela manhã Rick chegou, e saímos para almoçar. Comemos tostas de queijo, sopa de aspargos e salada de verduras. Quando tentei conversar sobre a noite anterior, senti que ele estava ao mesmo tempo curioso e tenso. Mas o fato de eu ter transado com Paul não me parecia o motivo exclusivo daquele seu comportamento estranho.

Ele me fez algumas poucas perguntas e, diante das minhas respostas, deu um sorrisinho amarelo. Disse que estava feliz por eu ser verdadeira com ele e que, por uma espécie de dever moral, ele precisava me contar algo.

Também na noite anterior ele havia encontrado uma moça que estagiara em Wall Street, com quem havia trocado alguns e-mails após seu regresso a Baltimore, onde ela morava. Ele queria saber sobre a cotação de algumas empresas em Nasdaq nas quais tinha clientes interessados e também entender se as eleições francesas haviam tido algum impacto financeiro.

— Por causa disso, em Baltimore saímos para um *happy hour*. Ela foi ao meu hotel e fizemos amor, me disse, de chofre.

Confesso que me senti um pouco atônita, com a notícia e o modo bruto como ele a contara. Tive uma crise de ciúmes e pedi que ele me falasse em detalhes sobre aquela mulher. Quando ele me mostrou no WhatsApp a foto dela, minha cabeça girou mais ainda. Não era uma coroa qualquer, mas uma jovem elegantíssima. Senti o peso do torpedo, mas me mantive firme sem demonstrar qualquer abatimento.

Eu jamais tinha experimentado um sentimento tão doído, desses que se sentem lá no fundo do ser, muito menos com Rick. Nas nossas aventuras não havia lugar para o ciúme, já que estar com outras pessoas era, naquelas ocasiões, uma forma de intensificar nosso prazer e nossa relação. Fiquei pensando em qual definição poderia dar para o que estava sentindo. Às vezes sabemos ou imaginamos o que acontece na vida do outro, mas, quando a realidade vem à tona, temos a dimensão real de quanto do outro está dentro de nós. A confissão de Rick me fez ver que tenho muito dele dentro de mim – e isso é intenso demais. Não é fácil dividir quem a gente gosta. Mesmo que tivesse sido algo meramente casual, como ele me disse... De repente estávamos ambos melancólicos, éramos confidentes de nós mesmos.

Rick, muito inteligente e intuitivo, observou também meu sofrimento e disse:

— Não há divisão dentro do espaço especial. Há refúgio de sobrevivência. Você é o que de mais existencial me surgiu nesta etapa da vida.

Eu compreendia que Rick estivesse procurando uma maneira própria e intensa de viver os seus sentimentos. Eu também estava aprendendo novas formas de amar, mas a verdade é que não estava pronta para esse tipo de consequência da não exclusividade. Uma parte de mim tinha certeza de que o amor dele por mim estava acima de tudo, e que por isso não era certo ele deixar de realizar alguns desejos. Nossa ideia de compromisso era muito maior que isso. Mas outra parte de mim não conseguia deixar de sentir insegurança e ciúme. Eu tentava esconder de Rick esse lado, mas talvez já fosse tarde demais. Quando me dei conta, ele estava se desculpando pela velocidade com que propunha novos limites para a nossa relação e pela maneira como havia contado sobre Baltimore. Fiz questão de lhe responder:

— Você não deve me pedir desculpas. Está sendo verdadeiro comigo e consigo mesmo, e isso é o mais importante. Eu é que peço desculpas por ter causado em você esse incômodo. Estamos juntos para o que der e vier, Rick, e quero continuar aprendendo esse novo jeito de amar.

— Minha querida Suzie, sei que temos algo muito além de nosso entendimento, e que é existencial — ele respondeu apenas isso, e depois sorriu. No brilho dos seus olhos eu reconhecia a intensidade do sentimento que nos unia.

Mais tarde, Rick foi para Wall Street e eu retornei ao hotel, pois não tinha paciente marcado para aquele fim de tarde. Paul havia deixado um recado, dizendo que gostaria de despedir-se de mim. Naquela mesma noite voltaria para a França.

Ele me esperava no bar do hotel. Tão logo percebeu minha aproximação, interrompeu a conversa que mantinha com o *barman* e dirigiu-se a mim. Enquanto ele procurava uma mesa e me convidava a sentar, pensei que talvez esse encontro não tivesse mais intenções que a simples demonstração de atenção pelo que tínhamos vivido juntos no dia anterior.

– Não parei de pensar em você nem um só minuto de ontem para hoje – sussurrou em meu ouvido assim que nos acomodamos.

Eu me senti incapaz de replicar, as palavras não chegaram à minha boca: como açúcar na água, diluíram-se em algum lugar incerto do cérebro. Ele pegou minha mão de novo e a acariciou, como na noite anterior. Não consegui dar resposta àquele carinho.

Sua voz ainda causava algum efeito em mim, mas já não era nada sexual. A chegada do garçom interrompeu sua conversa, e aproveitei a pausa para contemplá-lo enquanto ele pedia o mesmo chá que eu bebia quando nos conhecemos. Ele tinha sempre aquele despojamento tão raro nos homens do meu ambiente, exalando juventude e masculinidade por todos os poros: ao fumar, ao recolher os cabelos cacheados para trás das orelhas, ao levar um drinque de xerez à boca.

— Por que uma mulher tão encantadora como você está aqui hospedada simplesmente com um amigo? — perguntou, após o primeiro gole em seu *spanish Manhattan*. Dei de ombros.

— Para que possamos viver melhor, compartilhando nossas angústias e prazeres — a resposta não fazia muito sentido, mas era o que de melhor eu conseguia produzir naquele momento.

— Quer mesmo viver melhor começando assim, Suzie? — ele questionou. De fato, Paul não era um homem qualquer. Não sei exatamente o que ele quis dizer com aquilo, mas sua forma de torcer as minhas palavras era, no mínimo, inteligente. Em outra situação, ele talvez me conquistasse com esse seu charme. Mas eu estava vivendo algo maior e, como numa velocidade cibernética dos meus neurônios, tive o sentimento de que, como companheiro de vida, Rick estava anos-luz à frente de qualquer outro homem que eu jamais conhecera. Me refugiei num gole de chá para não responder.

Paul me segurou pelos punhos e percebeu que meus olhos já não brilhavam como no dia anterior. Provavelmente intuiu que, naquele momento, qualquer promessa presente ou futura seria impertinente.

Soltei meus punhos de suas mãos, segurei carinhosamente seus dedos e disse simplesmente:

— Amo perdidamente outro homem.

Ele ficou impávido, olhou bem fundo nos meus olhos e disse:

– Ele deve ser um homem de muita sorte – fez uma pausa pensativa, chamou o garçom com um estalar dos dedos, pagou a conta, deu-me um beijo no rosto e disse adeus. Caminhou em direção à porta, até desaparecer.

Não havia ali nada de drama. Não derramei uma lágrima sequer, nem descarreguei sobre mim qualquer censura. Apenas um minuto depois de sua presença desaparecer, eu também me levantei da cadeira e fui embora.

CAPÍTULO 19

SUZIE

Quando o segundo paciente daquela manhã saiu de meu consultório, senti uma leve tontura, talvez causada por uma queda de pressão. Os dias anteriores haviam sido de muito trabalho, o que sempre me deixava agitada. Pensei, por isso, que pudesse ser efeito do estresse – a que se somava a ansiedade para saber se meu plano com Rick havia dado certo. Ainda faltavam alguns dias para a minha menstruação, mas decidi consultar minhas anotações para tirar a dúvida.

Fiquei surpresa quando vi o calendário. Eu já estava no terceiro dia de atraso e não havia me dado conta. Era um pouco estranho eu ter feito aquela confusão, ainda mais considerando a força com que eu queria que desse certo. Por que eu havia me distraído dessa maneira? Aproveitei o horário de almoço para passar na farmácia e comprar um teste. Não houve tempo para ansiedade. Assim que a fita do exame se coloriu, a tela informou: grávida.

O resultado era o que eu desejava e esperava, mas o turbilhão de sentimentos que tomou conta de mim não tinha nada de conhecido. Eu estava feliz e emocionada, mas também fui tomada por certa apreensão e insegurança, imaginando que em poucos anos eu estaria sozinha com aquela criança. Depois, senti que meu amor por Rick, agora multiplicado, ia crescer tanto até explodir. E novamente veio a tristeza, quando me lembrei da curta perspectiva de vida do pai desse bebê.

Eu nunca tinha estado grávida, mas sabia que esse furacão era apenas o aperitivo do que viria pela frente. Extrema sensibilidade, oscilações de humor, horas e horas pensando no futuro e imaginando um ser que, naquele momento, não era maior do que um grãozinho de feijão. Aproveitei que ainda não tinha nenhum paciente e me entreguei àquele momento. Sozinha, no sofá, me deixei levar por todas aquelas emoções e todos aqueles pensamentos. À noite eu daria a notícia a Rick.

RICK

Quando Suzie me mandou uma mensagem propondo que a gente jantasse em minha casa, eu já imaginava que ela teria alguma novidade. Um pouco mais de duas semanas tinham se passado desde a noite em que ela estivera com Paul, então não era difícil prever qual seria a revelação da noite.

Eu tinha sentimentos mistos em relação à provável gravidez. Realizar o sonho de Suzie era também realizar um sonho meu, pois nada me deixava mais feliz do que vê-la feliz. Ter um filho com ela era muito diferente de ter um filho com Sharon. Naquela altura, eu era jovem e acreditava que ter filhos era simplesmente parte da vida, e não uma escolha, uma decisão meditada. Com Suzie eu tinha deliberadamente aceitado essa outra forma de amar. Um filho era a continuação de nosso amor, era a marca indelével de um sentimento, mesmo que biologicamente eu não tivesse participado de sua concepção. Aquela ainda minúscula criatura viria a ser o meu epitáfio à mais sublime forma de amar.

Quando ela entrou no apartamento, carregada das sacolas onde trazia a comida tailandesa comprada num restaurante próximo, estava radiante. Largou tudo o que tinha na mão e veio correndo em minha direção. Me deu um abraço forte e sussurrou no meu ouvido:

– Estamos grávidos, Rick!

Fiquei muito emocionado quando ouvi aquelas palavras. O nó apertou na garganta, e meus olhos marejaram de lágrimas. Não apenas porque eu estava dando aquela felicidade a Suzie, mas principalmente porque uma criança prolongava a minha existência ao lado dela. Tudo o que eu desejava era ter mais tempo de vida para estar com ela.

Uma alegria como essa vinha invariavelmente acompanhada de melancolia, já que no horizonte estava sempre meu aneurisma. Achei importante tirar isso logo do caminho, para que nós dois pudéssemos curtir a gravidez como queríamos e merecíamos. Ignorei o medo de pegar pesado demais com Suzie e lhe disse:

— Essa notícia é das melhores e mais bonitas que já aconteceram na minha vida. Eu agora estarei sempre contigo, mesmo quando não mais estiver. Você é uma mulher extraordinária e será uma mãe incrível, estou certo disso. Essa criança tem sorte de ter escolhido justo você como mãe.

— Você sempre sabe o que dizer para me fazer ainda mais feliz, Rick.

— Estou dizendo o que realmente penso, Suzie. E queria também conversar com você sobre algo que nos faz menos felizes... Você sabe que não estarei aqui para participar da criação de nosso filho, certo? — a alegria desapareceu de seu rosto; ela apenas baixou os olhos, sem nada me dizer. Segurei firme em suas mãos e continuei:

— Vamos juntos escolher o nome e viver essa gravidez. Eu verei o nascimento e, espero, os primeiros anos de vida. Conversaremos sobre todos os assuntos importantes e não importantes relacionados à criação dos filhos. Vou deixar um investimento que vai garantir que vocês tenham todo o necessário, inclusive a faculdade. Mas não verei nossa criança aprender a ler ou escrever, não a verei tornar-se independente dos pais, não a verei ganhar o mundo. Você sentirá sempre minha presença, mas estará sozinha.

Suzie começou a soluçar, chorando com muita intensidade e me abraçando com toda a sua força. "Eu não quero que você vá", ela repetia, beijando minhas bochechas, minha testa, meu nariz, meu queixo... e me deixando também profundamente triste. Eu não queria que a conversa tivesse se transformado nisso, e achava que não devíamos continuar sofrendo, com pena de nosso destino, mas sim celebrar tudo aquilo com que a vida nos havia presenteado: nosso amor, nosso filho, nossos momentos intensos juntos... Tentei, então, dar outro rumo:

— Eu estou aqui, Suzie, e por enquanto não vou a lugar nenhum. Hoje é um dia para celebrarmos a vida, a vida que permanece, a vida que continua, a vida gerada pelo nosso amor — ela aos poucos se acalmava, e o sorriso voltava a seu rosto.

— Eu vou abrir uma garrafa que tenho aqui guardada há alguns anos para ocasiões especiais. Você não poderá beber, mas ao menos fará um brinde comigo.

Mandamos os pensamentos negativos para longe e, mais calmos, embarcamos nos devaneios puxados por aquela existência que apenas se iniciava. Naquela noite, Suzie e eu éramos um casal como qualquer outro, sonhando e suspirando ao imaginar o nosso bebê.

CAPÍTULO 20

RICK

A gravidez de Suzie seguia tranquila. Ela às vezes parecia sensível demais ou fisicamente indisposta, mas quase nunca se queixava de sintomas. O que às vezes aparecia eram os desejos. Naquele dia ela estava louca pelo hambúrguer de uma taberna próxima a Washington Square. Era um lanche famoso na cidade, muito apreciado apesar de não levar queijo. Fiz reservas e fomos até lá.

Eu não gostava especialmente daquele lugar, que era bastante antigo e evocava os tempos em que eu, jovem e com filhos pequenos, era assíduo frequentador de bares, sempre procurando descansar a cabeça da rotina da casa. Mas a comida não era especial naquela altura. A geração de Suzie estava agora redescobrindo e reformulando alguns desses estabelecimentos, com novas propostas de cardápio. Como sempre preferi evitar hambúrguer, pedi o cordeiro. Não era nada de mais, mas o molho de iogurte estava saboroso.

Suzie estava particularmente bonita, se deliciando naquele lanche que, apesar dos guardanapos, sujava seus dedos e, às vezes, seu queixo. A gravidez lhe fazia bem. As bochechas haviam crescido um pouco e ela estava sempre radiante. Já estava com a barriga grande, mas, vista de costas, parecia mais magra do que antes. Eu não sabia que aquilo era possível, mas a médica explicou que, descontado o peso da barriga e do bebê, algumas mulheres de fato emagrecem durante a gestação.

Nós ainda não havíamos escolhido o nome de nosso garoto. Suzie sugeria opções como Edward, Jasper e Darry, cujo significado tinha relação com poder e riqueza – e, portanto, com Richard. Nesse dia, ela me apresentou uma nova alternativa:

– Dixon! Você gosta, Rick? Quer dizer "filho de Richard". Sei que você gostaria de dar seu nome à criança, e Dixon, sendo um novo nome, traz também a menção ao pai.

Achei bonito o raciocínio de Suzie. Por isso, embora o nome em si não me agradasse, decidi concordar, abrindo mão de chamar meu filho de Richard. Ela de fato sabia expor seu ponto de vista com bons argumentos.

– Sim, e me sinto homenageado, Suzie. Nosso pequeno Dixon...

Na volta para casa, decidimos caminhar um pouco antes de tomar o metrô. As caminhadas faziam bem a Suzie, e ela passaria a noite em minha casa. Quando entramos no vagão, senti uma leve tontura. Precisei me segurar, mas durou apenas alguns segundos. Suzie notou que algo não estava bem, mas preferi desconversar, para que ela não ficasse preocupada.

Ela acordava algumas vezes durante a noite para ir ao banheiro. Numa dessas ocasiões, eu já estava acordado. Havia sentido um pouco de enjoo e passado mal. Suzie se assustou:

— O que acontece, Rick? Podemos ir já ao hospital.

— Não é preciso, Suzie. Acho que o jantar não me fez bem, estou sentindo apenas um desconforto.

De fato, quando acordamos pela manhã, eu estava bem. Tomamos café juntos e ela logo saiu, pois tinha pacientes para atender. Tomei banho e, quanto estava me trocando, ouvi Claudia batendo a porta. Depois, fui me sentindo fraco. A visão foi escurecendo, deitei-me na cama.

SUZIE

Rick dizia estar bem, mas minha intuição desconfiava do contrário. Quando terminei de atender meu primeiro paciente, senti que estava muito ansiosa, e tive inclusive algumas pontadas de cólica.

Decidi ligar para ele, mas não tive resposta em seu celular. Tentei me acalmar, pensando que ele talvez estivesse a caminho do trabalho e não tivesse ouvido o telefone, no bolso, tocar.

O paciente seguinte havia chegado. Depois de uma nova ligação sem retorno, decidi respirar fundo e procurei me concentrar no meu trabalho. No próximo intervalo eu novamente tentaria falar com Rick.

Quando terminei a sessão, havia dois recados em meu telefone. O primeiro era de Claudia, dizendo que Rick havia passado mal e que estavam à espera da ambulância. O segundo era do hospital, avisando que ele estava sendo internado.

CAPÍTULO 21

SUZIE

Arrumei minha bolsa imediatamente e saí como uma louca. Entrei correndo no hospital. Percorri angustiada e ansiosa os variados corredores, perdendo completamente meu senso de direção e levando uma eternidade para encontrar a ala onde ficavam os pacientes de urgência. Tive de pedir a várias atendentes que me indicassem a direção certa. Finalmente, cheguei à antessala da UTI, onde encontrei Alice e Sharon comendo um biscoito, como se não tivessem tido tempo de comer após receber a notícia de que Rick estaria a caminho do pronto-socorro.

Alice levantou-se quando me aproximei. Embora eu estivesse transtornada, pude notar que ela estava bem mais magra – talvez por culpa da nova rotina de trabalho, que, segundo Rick, ela adorava, apesar de ser muito puxada.

– Como está ele?

– Sedado. Parece estável.

– Eu sabia que algo não estava bem. Ele se sentiu mal durante a noite, mas se recusou a vir ao hospital, disse que a comida não lhe tinha feito bem. Eu devia ter insistido mais, não acredito que me deixei levar e aceitei sua recusa.

– Não se culpe, Suzie. Nós sabemos que ele é assim mesmo. E, honestamente, pelo que dr. Steve disse, não sei se algumas horas fariam diferença.

Meu coração, em taquicardia, não parava de pulsar aceleradamente. Sentei-me um instante, tentando recuperar o fôlego. Estava correndo sem parar desde que recebera a notícia, agora me ocorria que talvez aquele movimento todo pudesse fazer mal ao bebê. Mais calma, comecei pouco a pouco procurar saber, por meio do dr. Steve, o real estado da saúde de Rick. A razão eu já conhecia – a bomba-relógio que ele carregava no cérebro –, mas queria entender se aquilo o havia levado para o hospital, ou mesmo se seria possível reverter aquele quadro clínico.

Rick não gostaria de estar ali em condições parasitárias. Eu conhecia sua cabeça, ele abominava sentimentos de compaixão e a impressão de estar importunando as pessoas. A vida é muito curta para sofrermos pelo que não tem mais jeito. Essa era sua forma de pensar e de viver.

– Esse sintoma agudo é a primeira vez que se manifesta, Suzie. O aneurisma está empurrando uma parte sensível do cérebro, e é por isso que Rick está assim. Apliquei-lhe alguns sedativos para que ele possa descansar. Vamos acompanhar com exames e medicamentos, torcendo para que haja alguma regressão, disse o dr. Steve.

– Droga – baixinho falei comigo mesma –, droga, droga, droga. Posso vê-lo?

— Ele está bem grogue. Talvez nem a reconheça.

Senti uma dor enorme. Como ele poderia não me reconhecer? Rick não poderia ir assim, sem me dizer adeus. Ainda tínhamos muita coisa para dizer um ao outro. Eu mesma ainda precisava agradecer tudo o que ele havia sido e representado para mim nos últimos tempos. Com o apoio e o incentivo dele, eu tinha feito coisas e sustentado atitudes que agora me preenchiam como pessoa. Graças a ele, eu tinha mudado minha maneira de pensar sobre todos os assuntos, até sobre mim mesma. Com Rick, fiz mais coisas e vivi mais nos últimos tempos do que nos últimos 30 anos de minha existência pensante. Eu ainda não estava preparada para ficar sem ele.

Ele estava no leito, enrolado em um cobertor bege. O frio do quarto, aliado aos remédios, talvez causasse alguma instabilidade térmica. Ele tomava soro, já que não havia se alimentado, e estava cercado de máquinas que emitiam bips a todo instante.

Sharon e Alice entraram no quarto.

— Como ele está?

— Parece que estável, mas o dr. Steve me disse que não tem nada que possam fazer. Ele deve voltar daqui a uma hora. Só resta esperar.

Alice e sua mãe indicaram a intenção de me deixar a sós com Rick. Amavelmente me perguntaram se sua presença seria necessária naquele momento e se eu gostaria de alguma coisa. Dei um sorriso tristonho e agradeci.

Passado um quarto de hora, percebi Rick mover-se um pouco. Assustado, abriu os olhos e me fitou. Fez um sinal como que pedindo para tirar a máscara de oxigênio, sinalizando que respiraria sem dificuldade. Assim o fiz, independentemente de um consentimento médico ou da ajuda de uma enfermeira. Eu já vivia no planeta transcendental que Rick me ensinara.

É difícil imaginar. Mas, naquele quarto de hospital, eu não tinha muito em que pensar. Pensava apenas nele e na rapidez assustadora com que o sintoma havia chegado, sem dar o menor aviso prévio e ignorando os anos que, seguindo a previsão do dr. Steve, ainda lhe restavam. Talvez fosse isso o que ele queria.

Observei em seu olhar o desejo enorme de despertar daquela sonolência química para se comunicar. Entrelacei carinhosamente os dedos dele nos meus e fechei a mão. Estavam quentes, eram dedos de alguém bem vivo. Eles se encaixaram tão bem nos meus que senti uma energia indescritível.

Senti que, mesmo debilitado, apertava com força meus dedos, como se dissesse: estou indo para algum lugar onde será impossível você me encontrar. Só a memória nos tornará imortais.

– Melhorou um pouco? – perguntei, com certo receio de sua reação. Ele balançou a cabeça e virou para o outro lado como se quisesse me dizer algo, mas lhe faltasse coragem. Eu insisti.

–Tem... alguma coisa que eu possa fazer?

— Não... temos que esperar. Pouco a pouco os sedativos vão perder os efeitos, e serei dopado com doses cada vez maiores, até Deus entender que devo partir. Minhas dores de cabeça são infernais, e sei que jamais será possível combater a causa, só atenuá-las. Não é isso que quero.

Repentinamente devolveu o rosto em minha direção e me fez uma pergunta que naquele momento pareceu quase insólita.

— Você me ama?

Inclinei a cabeça sobre a sua e colei meus lábios docemente nos seus. Fechei os olhos e me deixei levar pelo cheiro daquele homem que eu aprendera a amar em diversas formas de existir.

— Minha situação não vai melhorar — disse Rick. — A chance é piorar cada vez mais, e minha vida daqui para frente vai se tornar vegetativa. Por isso, peço a você que demonstre mais uma forma de amar. Sei que será a última, e certamente a mais difícil.

Segurou um pouco minha cabeça e lentamente a reclinou para o lado. Já bem perto da minha face, escorregou com seus lábios até meus ouvidos e murmurou, embora baixinho, algo que soou como um trovão numa noite de tempestade.

Olhei-o horrorizada. Meu coração quase explodia de compaixão, coisa que Rick jamais admitiria.

— Como pode me pedir uma coisa dessas? Como poderei viver depois disso?

Minha cabeça girou como um carrossel.

– Não posso acreditar.

– Não diga nada – disse ele.

Levei algum tempo para me recompor. Enxuguei com as costas da mão algumas lágrimas que furtivamente haviam escorrido e novamente o ouvi dizer:

– Não fique zangada, por favor. Em breve você terá um bebê para criar, a vida continua. Somos apenas inquilinos de uma espaçonave que se chama Terra. Pouco a pouco, cada um de nós irá desembarcar em outra dimensão, e quero que até essa estação final vivamos tudo o que o destino nos reservou.

Eu me recostei por inteiro, sem soltar os dedos de Rick. Com a outra mão alisei seus cabelos grisalhos e finos como fios de seda. Não mais conseguia reter as lágrimas escorrendo pelo meu rosto. Meu nariz estava encostado no dele, e ele não parava de me olhar em silêncio. Beijei-o novamente, como se quisesse trazê-lo de volta – num sentimento, por mais remoto que pareça, de esperança.

Mas ele permaneceu inerte, determinado em relação a seu pedido. Não era homem de meias-palavras ou de demagogias. O que queria sempre estava bem elaborado em sua mente.

Que razão teria eu para traí-lo no momento de sua dor, de sua despedida? O tempo urge, as dores são insuportáveis e o processo é longo e doloroso. Certamente Rick não gostaria disso.

Poucos são capazes de entender o que nós vivemos juntos. Nosso amor é capaz de vencer até a lei natural das coisas. A ciência e a religião são inconcludentes. É preciso ter a própria fé, naquilo em que se acredita, naquilo em que se vive e ama. Deus colocou no tabuleiro das escolhas de nossas vidas várias formas de amar e, quem sabe, Rick tenha se tornado um instrumento de prova da minha fé, daquilo em que eu acredito e daquilo que devo amar eternamente.

CAPÍTULO 22

SUZIE

Era uma noite quente de primavera, suave e silenciosa. O céu tinha poucas nuvens e se podia sentir o aroma das flores no ar. Não havia rastro de vento, nem a mais leve brisa sequer. Eu estava planejando passar em um pub de estilo londrino na Broadway, na esquina com a Rua 109, e tomar algum drinque para ter coragem de enfrentar aquela estranha missão. Porém, quando caminhava no sentido oeste, passando pelo campus da Universidade de Columbia, resolvi cruzar para o outro lado da Broadway e andar pela Riverside Drive, onde podia contemplar o rio Hudson. Era como se eu pudesse transferir mentalmente para Rick aquelas imagens bucólicas que ele tanto gostava de apreciar em suas horas de meditação.

Embora a noite estivesse quente, eu usava um pesado mantô, pois, naquela época do ano, ao anoitecer, as temperaturas começavam a baixar. Atravessei para a calçada leste da Riverside Drive e comecei a caminhar mais decididamente para o hospital, repetindo para mim mesma que era isso que Rick desejava e que por amor também se mata. Levava no bolso esquerdo do meu casaco uma seringa já completamente cheia de barbitúrico e cloreto de potássio em doses letais, cujas cápsulas, adquiridas em uma farmácia no Brooklyn, já haviam sido descartadas vazias em uma lixeira da Rua 106.

Andava devagar, como se uma força estranha tentasse me impedir de chegar até o quarto do hospital onde Rick repousava, à espera de despedir-se antes de sua partida para o desconhecido. Eu estava muito triste, tomada por uma melancolia sem fim. Faltava-me ar para soluçar. Sentia-me escondida num mundo só meu e tão secreto que me parecia um sonho com horripilantes momentos de lucidez e ilusionismo.

A eutanásia é considerada crime em vários países, inclusive nos Estados Unidos, mas alguns estados permitem o suicídio assistido. Eu usava essa informação para me convencer de que até o "sistema" admite esse tipo de ação. Eu não era uma assassina.

Rick me dizia que o direito à vida era dele e somente dele, não caberia ao Estado o direito de decidir sobre isso, algo tão pessoal. Mas ele nunca quis se transferir para outro local – muito menos para outro país, embora em certos momentos tenha considerado Holanda, Canadá e Suíça, onde poderia exercer seu direito. Ele tampouco queria chegar ao estado de saúde em que se encontrava agora. Dali em diante viveria de modo vegetativo e extremamente doloroso até sua morte.

Lembrei que, em uma viagem que fizemos a Key West e após uma visita à casa de Hemingway, discutimos por que um homem tão culto, vitorioso em tudo o que havia feito, resolveu tirar sua própria vida. Mas, se olharmos com certo ceticismo, tudo é muito efêmero: as coisas, as pessoas e as criaturas. Talvez ele, Ernest Hemingway, tenha entendido que seu ciclo de existir prazerosamente no mundo terreno havia chegado ao fim. No entanto, ele esquecia que, enquanto tivermos saúde, nunca é tarde para aprender e para amar.

Rick não tinha medo da morte, mas de machucar as pessoas com sua partida voluntária. Porém todos a quem amava já tinham suas próprias vidas, seus próprios caminhos definidos. Agora, só lhe restava a mim. Talvez por um capricho do destino tenha me reservado o direito de encurtar sua vida biológica. Era o que ele queria e o que ele realmente deixava para mim. Mais um teste de lealdade, mais uma prova de meu querer e mais uma forma de amar.

II

Identifiquei-me na recepção e fui até o elevador. Esperei nervosamente que abrisse a porta e apertei o botão do 9º andar. Após enfiar as mãos no bolso e tocar na seringa coberta por um pequeno lenço de seda e constatar que tudo aquilo era real, senti-me como uma personagem sinistra de filmes de terror. Não tinha mais volta. Era o começo do fim de uma grande história de amor.

Bati suavemente a porta do quarto, um alojamento de duas camas separadas por uma cortina com uma enfermeira para cada apartamento. Em cada um dos ambientes havia uma poltrona. Não existiam camas de acompanhantes, pois aquela era uma área para pacientes que estavam sedados e cuja recuperação seria improvável.

Rick estava bastante abatido. Em seus olhos já se observava um contorno acinzentado de cansaço e um olhar de súplica para que todo aquele sofrimento tivesse um fim. O outro leito estava vazio, o paciente havia sido transferido na noite anterior para outra unidade de tratamento intensivo, a fim de submeter-se a diferentes máquinas que o manteriam vivo. Não era isso que Rick queria. A estrada da vida já tinha chegado ao fim antes da morte.

Recostei-me à sua cama, segurei sua mão e, num murmúrio quase inaudível, ouvi-o dizer o quanto me amou. Por um momento, senti fortemente que alguma coisa ainda estaria reservada para nós depois dali. O quê? Não sei, mas era como se a mão de Deus nos acariciasse e nos confortasse, lembrando que tudo o que fazemos de bem não se perderá jamais. É algo metafísico. Como nunca antes na vida, senti a presença de uma força que não sabia definir.

– Puxa! Como é bom amar... – suspirei.

Seu corpo estava tão débil que ele mal segurava as pálpebras sobre os olhos. Recuei um pouco, sentei-me na poltrona e somente me recobrei daquele tenso sono com a mão do médico sobre a minha face, tentando me acordar lentamente. Lembro-me de abrir os olhos e ver o padre do hospital e mais um funcionário dando as últimas informações à governança administrativa sobre as providências que iriam tomar. Dr. Steve, com uma voz suave e confortante, falou:

– Oi, Suzie, ele descansou, parece que era o que ele queria agora. Lamento muito, mas, se isso lhe dá algum conforto, você o fez viver esses últimos tempos como poucos homens têm tido a benção de fazer.

O padre apalpou minha barriga crescida e disse:

– Gostaria de batizá-lo com a fé cristã.

– Certamente, padre. Não por seu pai ter sido um cristão devoto, mas por ele ter sempre tido uma vida de cristandade, de servidão humana e de amor.

– Entendo, minha filha – disse o santo padre. Tem mais mérito aquele que faz o bem em meio à dúvida do que aquele que o faz sob a luz brilhante da fé. Como irá se chamar a criança?

– Richard – respondi. Eu sabia que Rick havia concordado com Dixon apenas para me agradar. Agora, sem ele, eu queria fazer aquela homenagem.

Desci pelo elevador até o saguão do hospital, comecei a fazer o caminho de volta pelas margens do rio Hudson e me dei conta de que algo estava no bolso do meu casaco. Lentamente, enfiei a mão e senti um pequeno objeto enrolado num pano. Abri e vi o lenço de seda que guardava a seringa. Peguei fortemente o objeto e percebi que nenhum líquido havia na seringa. Estava completamente vazia. Suspirei profundo e olhei para os céus:

– Meu Deus! Ajudai-me a nunca descobrir esse mistério. Perdoai-me, Senhor, se algo aconteceu que Te contrariou. Mas posso pedir-Te, meu Deus: que esta amnésia divina permaneça eterna. Se algo fiz, foi por amor.

Dos meus olhos rolaram incontáveis lágrimas, num misto de amor e saudade.